C'EST ICI QUE TOUT COMMENCE

Il faut lire les cases dans l'ordre des chiffres indiqués et, à l'intérieur de chaque case, suivre l'ordre alphabétique. Bonne lecture.

LEXIQUE

Bon Odori : mot à mot *"la danse de la fête des morts"*. C'est une danse que l'on retrouve à travers tout le Japon dans les festivals (les Matsuri) de quartier ou de village, en général autour du 15 août, organisés pour célébrer la fête des morts.

Dogû : poteries en forme de statuettes de l'antiquité nipponne, représentant des divinités...

Gyûdon : plat typique et bon marché qu'on mange sur le pouce. Il est servi dans un grand bol de riz sur lequel sont disposées des tranches de bœuf très fines revenues dans des oignons et de la sauce soja.

Ikebukuro : quartier populaire dans la partie nord-ouest de Tokyo, desservie par la Yamanote.

Izakaya : bar-restaurant où l'on sert toute sorte de nourriture, japonaise ou autre, en petite quantité. Les Japonais aiment s'y retrouver entre collègues après le travail. L'alcool n'y est pas en reste...

Mejiro : gare précédant celle d'Ikebukuro sur la Yamanote.

Purikura : abréviation de *"Purinto Kurabu"* (de l'anglais *Print Club*), sorte de photomaton autocollant que les japonais adorent faire en petits groupes.

Rotenburo : source chaude naturelle qu'on exploite pour les bains en plein air.

Yamanote : ligne de train circulaire qui dessert quasiment tous les grands quartiers de Tokyo. L'une de celles les plus empruntées quotidiennement.

Zanganken : mot à mot *"épée qui fend la roche"*.

Zankûshôsan : mot à mot *"paume qui fend le ciel"*.

Love Hina

KEN AKAMATSU

VOL. 14

SOMMAIRE

LOVE♡HINA

LOVE HINA

QUEL LEVER DE SOLEIL MAGNIFIQUE !

HINATA. 115
RETOUR À LA RÉALITÉ !!

NARU...

MH...

MH... ?

BON-JOUR...

...

MM MH...

BON-JOUR...

FROT

C'EST RIEN, NARU. TU ÉTAIS SI FATIGUÉE, HIER...

T'AS PAS DÛ FERMER L'ŒIL DE LA NUIT ! DÉSOLÉE !

J'AI... J'AI DORMI SUR TES GENOUX ?!

FLOUP FLOUP

OH ! PARDON ! JE ME SUIS ENDORMIE SANS M'EN RENDRE COMPTE...

OH...

HIER...

TILT

TILT

MAIS ARRÊTE ! T'EXCUSE PAS TOUT L'TEMPS !

AAAAAH !

SERRR

DÉ... SOLÉ ÉÉÉÉ !

BEN... ON N'ÉTAIT PAS VRAIMENT PRÉPARÉS...

JE... EUH... ON S'EST INTERROMPUS JUSTE AVANT DE...

AAH ! HEIN ?

BEN...

AU FAIT, QU'EST-CE QU'ON VA FAIRE POUR LE FAX DE TA GRAND-MÈRE ?!

D'AC-CORD !

JE VEUX QU'ON LA VOIE ENSEM-BLE...

EN PLUS...

...

ÇA FAIT SI LONG-TEMPS QUE JE L'AI PAS VUE...

POF

JE T'AI DIT QUE ÇA IRAIT, NON ?

ALORS, ON VA RENTRER...

OUI !

NARU, RETOURNONS À LA PENSION ! TOUS LES DEUX...

LE 10 ?!

...

AUJOUR-D'HUI, ON EST LE 10, DONC...

VOYONS... ELLE RENTRE QUAND EXAC-TEMENT ?

TA DA DA DA DA DA DA

RÉVEIL-LEZ-VOUS LES FILLES !

DEBOUT LÀ-D'DANS !

FOXY LADY

MH... MH... ? ON N'EST PAS À LA PENSION ?

QU'EST-CE QU'IL Y A ? WAOUUH ! LES REPAS DE MARIAGE, ÇA ME RÉUSSIT PAS...

M M H ?

FOX HOUND

C'EST AUJOURD'HUI QUE GRAND-MÈRE REVIENT À LA PENSION !

SI ON RENTRE PAS VITE FAIT, ON LA REVERRA PEUT-ÊTRE PLUS JAMAIS DE NOTRE VIE !

IL FAUT QU'ON AILLE ACHETER NOS BILLETS MAINTENANT !

MH ZZZ

AH, C'ÉTAIT QUE ÇA...

HÉÉÉ ! DEBOU-UUT !

GAH

MUTSUMI, T'ES GÉNIALE !

HEIN ?

J'AI ACHETÉ DES BILLETS POUR TOUT LE MONDE !

HIHIHI ! C'EST ÇA QUE VOUS VOULEZ ? ♡

FOXY LADY

MAIS... TU Y ES ALLÉE QUAND ?

TENEZ...

GLONG GLONG

CES BILLETS SONT POUR L'AVION DE 9 H, ON ARRIVERA À 13 H À TOKYO ET À 15 HEURES VOUS SEREZ À LA PENSION ! JUSTE À L'HEURE... ♡

GRAND-MÈRE A DIT QU'ELLE SERAIT À LA PENSION LE 10 À 15 HEURES...

C'EST ICI QU'ON SE SÉPARE...

NON MERCI...

TENEZ, M. SETA... TIENS, HARUKA...

OK ! ON FONCE À L'AÉROPORT !

HEIN ?

...

OH NOOON...

ÇA A TOUJOURS ÉTÉ MON RÊVE DE VIVRE DANS UN COIN COMME CELUI-CI TOUT EN FAISANT DES FOUILLES SUR UN SITE AUSSI RICHE...

HARUKA ET MOI, ON RESTE LÀ...

HAHAHA ! NE T'INQUIÈTE PAS, QUAND LES FOUILLES SERONT TERMINÉES, ON RETOURNERA AU JAPON...

ET VOTRE BUREAU DE RECHERCHES ?

QUOI ?! MAIS... ?

JE VOUS LE LAISSE. MUTSUMI CONNAÎT LE BOULOT. GARDEZ-LE À FLOTS OU COULEZ-LE, C'EST COMME VOUS LE SENTEZ...

BEN... ET TON CAFÉ, HARUKA, TU VAS LE LAISSER ?

ÇA PROMET, HEIN, HARUKA ?

MAIS, POUR L'INSTANT, IL N'Y A QUE CE SITE QUI COMPTE... ET ON EN A POUR QUELQUES ANNÉES...

MOUAIS...

11

SI TOUT LE MONDE EST D'AC-CORD...

ÇA Y EST ! ENFIN PRESQUE...

WAAAH !

OUAIIS !

WAAAH !

HAHAAA !

VITE, VITE !

FAITES-NOUS UN TRIOMPHE AU JAPON !

♡

VROOOOO

YEAH !

DÉJÀ 8 H 50... GRAND-MÈRE A DIT QU'ELLE SERAIT LÀ À 15 H...

ÇA VA ÊTRE LA COURSE, MAIS ON DEVRAIT Y ARRIVER...

BIEN SÛR ! JE PARS AVEC VOUS !

ET TOI, SÛ, TU ES UNE PRIN-CESSE ICI, TU VIENS QUAND MÊME ?

MC ET SARAH VA ME TÉLÉ PHONER !

AAAAH !

NARU, SI TU VEUX, TU PEUX VENIR M'EN PARLER EN DÉTAIL... C'EST UNE DÉCISION À NE PAS PRENDRE À LA LÉGÈRE...

JUSQU'OÙ ILS SONT ALLÉS ?

BEN...

MH... ? DE QUOI ELLE PARLE ?

BWAHAHA ! T'ES PAS CAPABLE DE FAIRE ÇA SANS Y ÊTRE PRÉPARÉ, KEITARÔ ?! TU ME L'AURAIS DIT, JE T'AURAIS FILÉ UN COUP DE MAIN...

MAIS COMMENT TU PEUX RACONTER ÇA, CRÉTIN ?!

VLAAT

ON N'ÉTAIT PAS PRÉPA-RÉS, ET ON S'EST ARR...

RRB WOO RF

VOICI CE QUE DISAIT LE FAX... (1) LA GRAND-MÈRE DE KEITARÔ SERA DE RETOUR À LA PENSION LE 10 À 15 HEURES...

(2) POUR HÉRITER OFFICIELLE-MENT DE LA PENSION, KEITARÔ DOIT ÊTRE MARIÉ...

(3) LA FILLE QUI SE TIENDRA À SES CÔTÉS, AU RETOUR DE LA GRAND-MÈRE, SERA CONSIDÉRÉE COMME SA FIANCÉE...

EST-CE QU'ELLE EST DÉJÀ LÀ... ?!

ON EST JUSTE À L'HEURE !

GAAAAAM

JE...
NOUS...
EUH, ELLE
ET MOÏ
NOUS...

GRAND-
MÈRE...

VOUS
ÊTES
LÀÀÀ
?

OHÉÉ !
GRAND-
MÈRE
?

BEN...
?!

MH...
?

POURQUOI ELLE EST PAS LÀ ?

C'EST CURIEUX, ON EST POURTANT BIEN LE 10 À 15 HEURES...

MH... ?

ELLE EST NULLE PART...

GRAND-MÈRE !

C'EST BIZARRE... ELLE DEVRAIT ÊTRE DANS LE BUREAU...

BEN...

QU'EST-CE QU'Y A ?

ÇA Y EST...

C'EST PAS POSSIBLE PUISQU'ON EST LE 10 !

QUOI ?!

REGARDEZ ! C'EST LE JOURNAL D'AUJOURD'HUI ET IL EST DATÉ DU 11...

11 AOUT

HEIN ? POURQUOI ?

OHO OO... ON A UN PRO-BLÈME !

QU'EST-CE QUE T'AS COMPRIS, MUTSUMI ?

HEIN ?

J'AI COMPRIS ! C'EST ÇA...

♡

ET !!!... ?

OH !

J'VOIS PAS LE RAP-PORT !

ET... ?

REGARDEZ ! LE ROYAUME DU MOLMOL EST VOISIN DE PARA-RAKELSE...

LÀ-BAS C'EST LE 10, MAIS AU JAPON C'EST DÉJÀ LE 11...

HÉ OUI... IL EST DE L'AUTRE CÔTÉ DE LA LIGNE DE CHANGEMENT DE DATE...

LIGNE DE CHANGEMENT DE DATE

ÉQUATEUR

JAPON

MOLMOL

AW AWA WA !

ELLE DOIT ÊTRE TRÈS EN COLÈRE !

FAUT LA TROU- VER...

C'EST... C'EST... C'EST L'HORREUR ! ELLE EST RESTÉE SEULE ICI TOUTE LA JOURNÉE !

POURQUOI JE FOIRE TOUJOURS LES MOMENTS IMPORTANTS ?

PFFF... PAS MOYEN DE METTRE LA MAIN SUR ELLE !

SI ÇA SE TROUVE, ELLE VA FERMER LA PENSION RIEN QUE POUR ÇA...

ELLE DOIT VRAIMENT ÊTRE EN ROGNE...

ONE LIFE

CROUIK CROUIK

LES FILLES SERONT À LA RUE ! ET NARU ET MOI ON SERA SÉPARÉS ?!

MAIS... SI ELLE FAIT ÇA...

ONE LIFE

GRAND-MÈRE ! OÙ T'ES ? REVIENS S'IL TE PLAÎT !

GAAAH ! NOOON ! IL FAUT VRAIMENT QUE JE LA TROUVE !

DIS, TU VEUX PAS QU'ON Y AILLE MAINTENANT ?

MMH... C'EST RIEN...

EXCUSE-MOI, NARU...

KEÏTA-RÔ... ?

OÙ ÇA ?

HEIN... ?

LÀ OÙ TU M'AS PROMIS DE M'EMMENER...

ON EST HEUREUX POUR LE RESTE DE LA VIE... À TÔDAÏ ! ♡

À L'ENDROIT OÙ, SI ON FRANCHIT LA PORTE ENSEM-BLE...

22

CHTOONK

WUUUU

...

DO DOM

DOM

DODOM

AH!

QU'EST-CE QUE T'AS ?

TATATATA

HI HI HI

HA HA HA

ÉVIDEMMENT...

BAH... J'SUIS PAS VRAIMENT PLUS HEUREUX QU'AVANT...

23

KEI-TARÔ ? C'EST TOI ?

HA HAHA ! ÇA FAIT SI LONG-TEMPS, MON CHÉRI ! ♪

ONE LIFE

...

GRAND-MÈRE ! C'EST NARU ! JE SUIS RAVIE DE VOUS ENTENDRE !

HI HI HI ♥

GRAND MÈÈÈ-RE ?!

C'EST... C'EST VRAI-MENT TOI ?!

À PROPOS DU FAX DE L'AUTRE JOUR...

DIS-MOI, KEITARÔ ?

DO DOM

GLUPS

AAH!

OHOO ! J'LE SAVAIS...

WUUU

PA...

PARDON DE T'AVOIR LAISSÉE TOUTE SEULE TOUTE LA JOURNÉE... TU SAIS, J'AI BEAUCOUP RÉFLÉCHI, ET...

ONE

SI TU LUI DISAIS QUE MA GRAND-MÈRE EST DÉCÉDÉE... HEIN ?

MAIS ARRÊTEZ, J'SUIS EN TRAIN DE LUI PARLER !

FIOUP FIOUP

QU'EST-CE QUE TU VAS LUI DIRE, KEITARÔ ? TROUVE UNE BONNE EXCUSE, HEIN ?!

FIOUP

IL Y A UNE CHOSE QUE JE DOIS TE DIRE...

HEIN ?

MAIS BIEN SÛR !

GRAND-MÊERE !

EST-CE QUE TU ME PARDONNERAS ? KORF KORF...

EXCUSE-MOI... IL NE ME RESTE PLUS BEAUCOUP DE TEMPS À VIVRE, ET JE VOULAIS REVOIR MON PETIT-FILS AVANT DE PARTIR... KORF KORF...

QU'EST-CE QUE TU AS ? TU ES MALADE ?

GRAND-MÈRE ?!

MERCI, ET PROFITE BIEN DE LA VIE...

SILE-E-E-E-E-E-E-ENCE

OH...

...

EST-CE QUE TU AS RETROUVÉ LA FILLE DE TA PROMESSE D'IL Y A 10 ANS ?

DIS-MOI...

NE NOUS FAIS PAS DES PEURS PAREILLES, GRAND-MÈRE !

AU FAIT, J'AI OUBLIÉ DE TE DEMANDER UNE CHOSE, KEITARÔ...

ONE LIFE

QUOI... ?!

...

KBOOM

C'EST...
TUUUU
UUT...

AH...
!

TUUUT
TUUUT
TUUUT

PA...
PAR-
DON...

...

NARU...

NA
NA NA...
NARUU !
POUR-
QUOI
T'AS
FAIT
ÇA
?!

32

QUOI ?

C'EST MOI !

iIRk

JUSTE QUAND ELLE ALLAIT ME DIRE QUI EST LA FILLE DE MES SOUVENIRS !

LA FILLE DE TES SOUVE-NIRS...

C'EST MOI...

NARU ?!

JE SERAIS TROP MAL !

SI ON APPRE-NAIT MAINTE-NANT QUE C'EST PAS MOI...

NARU...

TATA TAD

ET ÇA AVAIT L'AIR DE TE RENDRE SI HEUREUX...

TU ALLAIS DÉCOUVRIR QUI ÉTAIT LA FILLE DE TA PROMESSE...

MAIS ENFIN, ARRÊTE NARU !

ET MOI DANS TOUT ÇA... ?

BWA AAR FF !

VLAM

J'EN ÉTAIS SÛRE ! ESPÈCE DE CRÉTIN !

HEIN ?! MAIS...

ÇA NE TE POSERAIT PAS DE PROBLÈME SI LA FILLE DE TA PROMESSE N'ÉTAIT PAS MOI ?

ONE LIFE

NARU...

NA...

JE SUIS HEUREUSE, ET...

MAINTENANT QU'ON EST ALLÉS À TÔDAI TOUS LES DEUX...

KEI-TARÔ...

J'AI COMPRIS. JE NE DEMANDERAI PLUS RIEN À MA GRAND-MÈRE !

ET QUE JE SERAI TOUJOURS !

JE M'EN FOUS DE CETTE FILLE ! C'EST AVEC TOI QUE JE SUIS...

DO DOM

JE TE L'AI DÉJÀ DIT AU MOLMOL, NON ?

VRAI DE VRAI ?

OUI !

C'EST VRAI ?

ON DIRAIT QUE C'EST PAS AUJOURD'HUI QUE LA PENSION VA DISPARAÎTRE...

BON, ALLEZ, RENTRONS ! IL FAUT RACONTER ÇA À TOUT LE MONDE !

ON VA SE REPOSER... LÀ-BAS... ? JE SUIS FATIGUÉE...

BEN, QUOI ?

SCRUIIIIK

UNE FOIS RENTRÉS ON POUR- RAAAAA RRGH !

KYA AAH !

CH BONK

EUH...

...

VRAI-MENT ?

VAS-Y ! CETTE FOIS JE TE FRAPPERAI PAS...

MMH...

OH, PARDON ! C'EST À CAUSE DE L'HABI-TUDE...

QUOI ENCORE ? JE VOULAIS JUSTE TE PARLER !

J'VAIS PRENDRE UNE DOUCHE !

OH LÀ LÀ !

OH, DÉSO-LÉÉÉÉ...

TON GENOU !

ZAK

NARU...

PFOOF

DODOM DOM

HA HA

JE ME DEMANDE SI J'VAIS M'EN SORTIR INDEMNE...

MH...?

TCH'K

MOI AUSSI ALORS...

PAS DE PRO-BLÈME...

J'AI UN PEU HONTE AVEC LA LUMIÈRE...

PAR-DON...

AAH...!

TU VIENS?

O... OUI!

TCHOP

TRBL

MH...

GLUPS

SERRRR

WAAH ! JE PENSAIS PAS QUE KEITARÔ POUVAIT ÊTRE SI LOURD !

MH... ? MAIS...

C'EST VRAI ? MERCI...

MH... ? TA PEAU EST SI DOUCE AUJOURD'HUI, NARU...

MYÛÛ !

T'ES LOURD, J'TE DIS !

BOK

AAAH ! KEITARÔ ! ATTENDS ! T'ES LOUURD !

ET SI... DUR ?!

KYAAH ! KEITARÔ EST DEVENU UNE TORTUE !

MYÛ ÛÛ !

BAGAGES

TADAAAAAAM

AH !

FROT FROT

FLOP

KEITARÔ ?

MMH... ?

PFOF

OOH... !

OOH !

AAAAH ! SHINO... NON, NYA... NYAMO ?!

KEÎTA-RÔÔÔ !

MYÛ=

ONE LIFE

BWO ORF

PU UN CH

ESPÈCE D'OB-SÉDÉ !

OH...

AAAH ! ME SERRE PAS COMME ÇA !

NYAMO ?! QU'EST-CE QUE TU FAIS AU JAPON ?!

MAIS J'TE JURE QUE J'AI RIEN F...

COMMENT T'OSES PORTER LA MAIN SUR UNE GAMINE DE CET ÂGE-LÀ ?!

T'AS MÊME PU FAIRE RENTRER UNE TORTUE GÉANTE AU JAPON ?!

NYAMO ?! C'EST TOI ?! ÇA FAIT LONG-TEEEEMPS QU'ON S'ÉTAIT PAS VUS !

ON VA T'EMMENER À LA PENSION ! SHINOBU VA ÊTRE FOLLE DE JOIE !

......

QU'EST-CE QUE TU FABRIQUES ICI ?

HEIN ? SI C'EST ICI QU'ON HABITE ? BEN... PAS VRAIMENT EN FAIT...

HA HA HA !

QUELLE SURPRISE !

ONE LIFE

C'EST PAS GRAVE...

DÉSOLÉ, ENCORE RATÉ...

MAIS... ?

...

ON DEVAIT PAS ÊTRE HEUREUX APRÈS ÊTRE ALLÉS À TÔDAI ENSEMBLE ?

PFF... FAUT TOUJOURS QU'ON SOIT INTERROMPUS...

NARU, TU VEUX PAS LAISSER CETTE TORTUE TRANQUILLE ?

KYA AH ?

FIUUU

MYÛ ?

C'ÉTAIT PARCE QUE J'ÉTAIS PAS LA FILLE DE PROMESSE ?

ET SI PAR HASARD...

Love Hina

HINATA 116 - SECRET LETTER FROM NYAMO

CUI
CUI CUI
CUI CUI CUI
CUI CUI

BEN ALORS ! QU'EST-CE QUI S'EST PASSÉ ?!

ILS RENTRENT LE MATIN ?

SALUT VOUS DEUX !

SEN-PAÏ !

ON A PARLÉ À GRAND-MÈRE...

SALUT LES FILLES ! EXCUSEZ-NOUS...

ELLE VA LA FERMER ?!

ET POUR LA PENSION, ALORS ?

MUTSUMI NOUS A DIT QU'ELLE N'AVAIT PAS PU VENIR COMME ELLE L'AVAIT ANNONCÉ...

ALORS ? QU'EST-CE QU'ELLE VA FAIRE ?

MAIS ÇA IRA... ELLE NE LA FERMERA PAS...

NON... ELLE RÉSERVE SA DÉCISION JUSQU'À SON RETOUR...

BEN, OUI...

PARCE QUE C'ÉTAIT MOI LE GÉRANT DE CETTE PENSION...

ET PARCE QUE, DÉSORMAIS, S'IL Y A UN PROBLÈME, C'EST VERS MOI QUE VOUS DEVREZ VOUS TOURNER !

OH... !

...

!

...

SEN-PAÏ...

KEÏTARÔ TOUT CRACHÉ

ÇA, C'EST BIEN DIT !

GRAND FRÈRE

OUAÏ iiiiis !

HÉ ! ME SERRE PAS SI FORT, KANAKO !

48

BEN... ? QU'EST-CE QUE T'AS NARU !

HEIN ? AH... RIEN...

JE... J'AI... C'EST...

ET TU TROUVES ÇA DRÔLE ?

HAHAHA ! ÇA NE CHANGERA JAMAIS !

OH ! C'EST MOI QUI L'AI FR...

...

AA AA AH !

PER-VEEERS !

BO OO NG

ESPÈCE DE...

C'ÉTAIT PARCE QUE J'ÉTAIS PAS LA FILLE DE LA PROMESSE ?

ET SI PAR HASARD...

...

OUI, LES VOILÀ !

JE CROIS QUE JE VOIS LA TORTUE GÉANTE...

BEN... NARU... ? ELLE EST OÙ ?

HEIN ? EUH...

AH... AU FAIT ! ON A UNE INVITÉE DE MARQUE AUJOUR-D'HUI...

PAP LAT PAP LAT

NYA-MOOO ?!

NY...

SHI-NOMU !

SHI-NOMU !

NYAMO !

MH... ? C'EST LA VRAIE ?!

TCHOOP

MYÛÛÛ !

PAPAPLAT

MYÛ MYÛ MYÛ ÛÛ !

T'AS PAS CHANGÉ !

(SAUF LES SEINS...)

BIENVE-NUE CHEZ NOUS, NYAMO !

MYÛ !

GAAAAB

KRK

MYÛ Û...

ÇA FAIT SI LONG-TEMPS ! COMBIEN DÉJÀ ? AU MOINS SIX MOIS, NON ?

NYAMO ? C'EST NOTRE BIENFAITRICE ! C'EST ELLE QUI NOUS A SAUVÉS QUAND ON ÉTAIT À PARARAKELSE...

ENCORE UNE RIVALE

C'EST QUI, CELLE-LÀ ?

ALORS, ON VA ÊTRE FIDÈLES À LA TRADITION...

LA PENSION VA SURVIVRE, ET ON A UNE INVITÉE QU'ON A PAS VUE DEPUIS UN BAIL !

ON VERRA ÇA PLUS TARD !

AH, KEÎTARÔ...

ALORS ? QU'EST-CE QUE TU FAIS AU JAPON ?

YEAAAAAAAAAH !♡

ET FAIRE UNE MÉGA TEUUUUUUF !

...

ON VA PRÉPARER ?!

OUAIP, DU FEU DE DIEU !

BEN... C'EST QUOI CETTE ENVELOPPE ?

NYAMO, JE SUIS SI CONTENTE DE TE VOIR !

...

HEIN... ? SI, SI, ÇA VA !

ÇA VA PAS, NARU ?

GLUPS

TU... C'EST POUR KEITARÔ ?

MAIS... ?!

MH... ?

IL NE FAUT PAS RENONCER...

OUIIIIN

NYAMO, J'AI PEUR DE COMPRENDRE... TU ES...

ON VA FAIRE LES COURSES ! TOI, C'EST LA BOUFFE !

HÉÉ ! SHINOBU !

?

AH... !

IL FAUT LUI DIRE CE QUE TU RESSENS ! FAIS-MOI CONFIANCE...

J'SUIS CREVÉE... QUELLE SEMAINE DE FOLIE !

PFFF...

304 NARU NARUSEGAWA

SHOFF

POSSH

52

NON, C'EST PAS POSSIBLE... ET PUIS J'SUIS TRÈS HEUREUSE COMME ÇA...

APRÈS TOUT, J'SUIS PEUT-ÊTRE VRAIMENT PAS LA FILLE DE LA PROMESSE...

Y L'AF ENFIN JE CROIS...

...

NON, L'ÂGE COLLE PAS...

ÇA POURRAIT ÊTRE MOTOKO...?

HUM... ELLE ALLAIT DIRE QUI C'ÉTAIT...

OÙ MUTSUMI ? OOH... J'EN SAIS RIEEEN...

SHINOBU... ?

DONC, ON LA CONNAÎT...

ELLES VEULENT PARLER À KEITARÔ ?

SHI-NOBU ? NYAMO ?

EN KIMONO ?!

SHI-NOMU...

COU-RAGE, NYAMO !

DIS, KEITARÔ ! TIENS...?

PFFF

53

NYAMO A QUELQUE CHOSE À TE DONNER...

EUH... KEITARÔ ?

UNE POTERIE ?

AH BON ? QU'EST-CE QUE C'EST ?

UNE LETTRE D'AMOUR ?!

UNE...

!?

POURQUOI NYAMO ?! POURQUOI ELLE SE DÉCLARE MAINTENANT ?!

AAA AAH !

C'EST...

GY AA AH !

ZIIIP ZIIIP

KRAAAV

MAIS NON... C'EST DÉBILE ! ELLE EST PAS DU MÊME PAYS ET PARLE MÊME PAS LA MÊME LANGUE !

C'ÉTAIT ELLE ?!

ET SI...

OOH...!

54

JE PENSAIS PAS QUE TU PRENDRAIS LA PROPO- SITION D'HARUKA AU PIED DE LA LETTRE...

T'AS TON DIPLÔME DE CUISTOT ?

QU'EST- CE QUE TU FICHES LÀ, KITSUNE ?

TIENS, SALUT...

TU VEUX UN CAFÉ ?

OUI...

BAH... DISONS QUE J'RÉFLÉCHIS AU PROBLÈME...

HUM...

NAN, Y A RIEN...

HEIN... ?

OH... TOI... Y'A UN TRUC QUI CLOCHE...

HAHAHA ! J'VOIS QUE J'AI TAPÉ DANS L'MILLE !

HEIN ? MAIS...! POUR- QUOI TU DIS ÇA ?

T'ES ALLÉE À TÔDAI AVEC KEITARÔ ET ÇA VOUS A PAS RENDUS PLUS HEUREUX, PAS VRAI ?

...

BWOOF

56

...　...

VRAIMENT ?

OUI, VRAIMENT ! PARFAITEMENT HEUREUX !

N'IMPORTE QUOI ! ON EST TRÈS HEUREUX COMME ON EST !

OUI ! PARFAITEMENT !

PARFAITEMENT ?

FLOUP FLOUP

HÉÉÉ ! DU CALME... T'AS FAIT QUE BOSSER JUSQU'ICI ET TU CONNAIS RIEN À L'AMOUR...

OH, KITSUNÉÉÉÉ !

MMH... MOI, DANS CE CAS-LÀ, J'VAIS FAIRE UN TOUR DU CÔTÉ DE LA CAVE...

MMH... MAIS SI D'AUTRES NANAS LUI COURENT APRÈS, QU'EST-CE QUE JE DOIS FAIRE ?

FAIS COMME D'HABITUDE, ET SI VOTRE AMOUR EST RÉCIPROQUE, TU TROUVERAS TOUT NATURELLEMENT CE QU'IL FAUT FAIRE...

J'SUIS PAS HARUKA, MAIS SI TU VEUX UN CONSEIL...

OH LÀ LÀ ! VOUS AVEZ L'AIR DE BIEN VOUS AMUSER ! VOUS PARLEZ DE QUOI ? ♡

ET ÇA SUFFIT À TON BONHEUR ? C'EST DIGNE D'UN VIEUX PERVERS !

HÉ HÉ HÉ ♡

ENSUITE J'LUI BOURRE LA GUEULE ET J'PASSE À L'ATTAQUE, C'EST RADICAL... C'EST LA TECHNIQUE DE LA MORT QUI TUE ! ♡

TCHIIIIIIN !!

FÊTE TRADI-TION-NELLE À LA PENSION...

UN TOAST POUR NYAMO !

BEN QUOI ? ÇA FAIT LONG-TEMPS QU'ON A PAS FAIT LA TEUF EN SE BAIGNANT...

DIS... JE PEUX SAVOIR POURQUOI ON FAIT ÇA ICI ?

MERCI, NYAMO... MAIS... ?

...

AH ! V'LÀ NOTRE GÉRANT PRÉFÉRÉ, ALLEZ AMÈNE TOI !

EUH... JE PEUX VRAI-MENT VENIR... ?

KEI-TARÔ ?

ALLEZ, FAIS PAS TON TIMIDE !

C'EST BON, ON EST TOUTES EN MAILLOT DE BAIN...

OHO OO... AUDA-CIEUSE...

? ?

NYA-MOOOO... T'AS PAS DE MAILLOT ?!

TADAAM

...?

C'EST PAS VRAIMENT GRAVE, MAIS... MAIS COMME JE SUIS LÀ, MOI AUSSI... AAAH...

J'AI FABRIQUÉ UN MÉCA-SARAH...

HÉ HÉ HÉ

MAIS ELLE EST LÀ...

HAHAHA ! SI SARAH AVAIT ÉTÉ LÀ, ELLE EN AURAIT FAIT QU'UNE BOUCHÉE... ♡

FLOTCH FLOTCH FLOTCH

GYAAÂH!

SARAH NE FERAIT JAMAIS ÇA...

ET Y A DES LASERS AUX YEUX... ♡

SCRITCH SCRITCH

...

T'ES LE PERVERS DE SER-VICE...

BOONG

J'AI MIS UN DÉTECTEUR AUTOMATIQUE DE PERVERS ET UN LATTEUR SURPUISSANT DEDANS...

BIP BIP BIP

OUI, NYAMO ?

KEI-TARÔ...

J'SUIS PAS UN PER-VERS !

HAHA ! TROP COOL !

59

MH...
?

...

HÉ !
POUSSEZ
PAS
!

COU-
RAGE,
NYAMO
!

PFF...
QUELLE
CHALEUR
!

BEN...
QU'EST-CE
QUE T'AS
?

...

EN-
CORE
?!

OH
!

OH
!

SPLATCH

ET SI
JE FAISAIS
COMME
KITSUNE
M'A DIT...

NYAMO...
T'AS PAS FINI
DE LUI LANCER
DES REGARDS
LANGOUREUX...

Ç....
ÇA...

PLIK

HEIN...
?

GLUPS

T'AS
UN TRUC
À ME
DONNER
?

DOOM

MH...
?

KEI...
KEI-
TARÔ...

DODODOM

NARU...

MMH...

...

HIPS

MERCI, KEITARÓ...

KISS

...

...

FROT FROT

MMH... J'AI VRAIMENT LA SENSATION QUE LES RÔLES SE SONT INVERSÉS ENTRE NOUS...

ROUGE

OOH... J'AI LA TÊTE QUI TOURNE...

LA PROCHAINE FOIS, J'ESSAIERAI D'ÉVITER DE TE FRAPPER !

VLAM

NYA-MO ?!

FLIX

NY...

ENFIN... SI, MAIS... NOOON !

DASSH

ATTENDS ! CROIS PAS QU'ON...

C'EST... C'EST PAS UNE LETTRE D'AMOUR ?!

HIPS

MMH... ? MAIS...

ELLE L'AIME À CE POINT... ?

CHOP

ELLE EST VENUE JUSQU'ICI RIEN QUE POUR CETTE LETTRE D'AMOUR !

FLAP

OH !

C'EST...

...

OH LÀ LÀ, IL EST FORT CE SAKÉ...

POF POF POF

ON DORT PAS DANS LE BAIN

ZZZ ZZZ

PUS FAIIIM...

HIPS

65

Love Hina

HINATA 117 · LA FILLE DE LA PROMESSE (1)

ET ON EST TRISTES, ENCORE UNE FOIS, PAS VRAI TAMA ?

MYÛ

VOILÀ, ELLE EST PARTIE...

V R O O O O O

OUAIS... IL VAUT PEUT-ÊTRE MIEUX PAS EN PARLER DU TOUT !

C'EST NUL, LES SÉPARA-TIONS, HEIN ?

HEIN ?! AH ! C'EST RIEN... RIEN DU TOUT !

C'EST QUOI, CETTE LETTRE ?

...

BON, ON RENTRE ? ÇA VA NARU... ?

CHER MONSIEUR URASHIMA,

NOUS AVONS EN GRANDE ESTIME LES RÉSULTATS QUE VOUS AVEZ OBTENUS EN TANT QUE COLLABORATEUR SUR LES FOUILLES DU SITE DE TÔDAI AU ROYAUME DU MOLMOL, ET VOUS ÊTES PAR CONSÉQUENT CORDIALEMENT INVITÉ À INTÉGRER OFFICIELLEMENT NOTRE ÉTABLISSEMENT EN TANT QUE CHERCHEUR.

LE DIRECTEUR DE LA SECTION DE RECHERCHES ARCHÉOLOGIQUES CONJOINTES DES UNIVERSITÉS DE PARARAKELSE ET DE TOKYO. RANBA LÛ

ILS VEU-LENT KEI-TARÔ ?!

QUOI ?!

QU'EST-CE QUE JE VAIS FAIRE... ?

...

NARU...

OH... ÇA ALORS...

S'IL FAISAIT ÇA, ÇA SERAIT COMME QUAND IL EST PARTI EN AMÉRIQUE...

ET JE POURRAIS JAMAIS SAVOIR QUAND IL REVIENDRAIT...

IL SERAIT CAPABLE DE PRENDRE LA RELÈVE DE SETA... MAIS...

KEITARÔ EST L'ÉLÈVE DE SETA, IL A DÉJÀ FAIT DES FOUILLES ET IL PARLE ANGLAIS. IL A TOUTES LES COMPÉTENCES POUR CE POSTE...

DRÔLE DE SITUA- TION...

MAIS ELLE NE LUI A PAS DONNÉ PARCE QU'ELLE A VU QU'ON ÉTAIT LIÉS TOUS LES DEUX !

NYAMO EST VENUE AU JAPON EXPRÈS POUR LUI DONNER ÇA...

ALLEZ DEBOUT !

KEITA- RÔ...

BEN, ALORS ? TU RÊVASSES OU QUOI ?

GY AA AH !

AH ! QU'EST- CE QUE JE DOIS FAIRE ?!

HAHAHA ! ELLE EST TÊTE EN L'AIR !

ZIP

JE VAIS TE LE RECOUDRE !

TIENS ? T'AS UN BOUTON QUI S'EN VA...

DE RIEN ! J'ADORE M'OCCUPER DU MÉNAGE ET DE LA LESSIVE...

MH... MERCI SHINOBU !

VOILÀ. C'EST FAIT. J'EMMÈNE TON LINGE !

MERCI, PARCE QUE C'EST PAS VRAIMENT MON TRUC...

♡

T'AS LA SUPER PÊCHE AUJOURD'HUI ?!

T'AS VU TOUTE CETTE LESSIVE ?

DIS, SHINOBU ? QU'EST-CE QUI T'ARRIVE ?

C'EST VRAIMENT UN JOUR RÊVÉ POUR LA LESSIVE...

OUI, C'EST PEUT-ÊTRE PARCE QUE LE TEMPS EST MAGNIFIQUE...

206 !

207 !

MMH... ?

N'IMPORTE QUOI ! AU FAIT, T'AS AUSSI DES SUPER NOTES DEPUIS QUELQUE TEMPS, NON ?

OUI, C'EST MA SEULE QUALITÉ !

SHINOBU, T'ES VRAIMENT RAFRAÎ-CHISSANTE !

B W O O O O O

TU AS REPRIS L'ENTRAÎNEMENT ?

BEN... MOTOKO ?

209 !

208 !

HEIN ? OUI !

FAIRE QUE BOSSER, ÇA ME VA PAS DU TOUT...

SHOOF

SHOOF

ALORS, BONNE CHANCE !

MAIS, DÉSORMAIS, JE VAIS ME PARTAGER ENTRE LES ÉTUDES ET L'ÉPÉE...

ANNALES MATHS

T'INQUIÈTE ! JE VISE TOUJOURS TÔDAÏ...

MO-TOKO...

PSSHT PSSHT

J'AI ABSOLUMENT PAS L'INTENTION DE TE PIQUER KEITARÔ, TU PEUX ÊTRE TRANQUILLE...

HEIN... ? MAIS NON...

MH... ? DIS, Y A UN TRUC QUI VA PAS, NARU ?

ELLE AUSSI, ELLE A CHANGÉ...

HA HAHA ! JE BLAA-GUE !

QUOI ?

HUM

PAR CONTRE, S'IL VEUT UNE MAÎTRESSE...

LES RÉSULTATS DES EXAMENS SONT ARRIVÉS !

OHÉÉ ! RÉUNION SFF !

...

OH, ÇA VA ! POUR TROIS POINTS...

YAHAHA ! KANAKO GAGNE !

BLAH

KHH... B ?!

BLAH

KYAAH ! C'EST PLEIN DE A !

BLAH

ÇA Y EST... JE VAIS ENCORE M'EMPÊTRER LÀ-DEDANS...

...

ET MOI, PENDANT CE TEMPS-LÀ, QU'EST-CE QUE JE FAIS ?

ELLES ESSAIENT TOUTES DE RÉALISER LEUR RÊVE...

...

...

J'AI PAS VRAIMENT EU LE CHOIX...

EUH...

EUH...

AH BON ? DE QUOI ? ÇA A L'AIR SÉRIEUX...

JE VOUDRAIS TE PARLER DE QUELQUE CHOSE...

EUH... JE... EN FAIT, JE...

OH ! KEITARÔ !

COUCOU NARUUU ! DÉSOLÉ POUR LE RETARD !

...

JE T'AU-RAI !

RAAAH RATÉ !

POP POP POP

AAH !

HAHAHA ! IL L'AURA JAMAIS...

HEEEIIIN ?! J'Y ARRIVE-RAI JAMAIS AVEC UN MACHIN PAREIL !

300 YENS LES 5 COUPS

GAGNEZ UNE PS2 !!

J'VOU-DRAIS LA PS2 QUI EST LÀ ! TU M'LA GAGNES ?

300 YENS LES 5 COUPS

300 YENS = 2,33 EUROS ENVIRON.

QUOI ? MAIS NON ! Y A RIEN ! RIEN DU TOUT, J'VOUS DIS !

C'EST PAS BON DE TOUT GARDER POUR SOI ET DE SOUFFRIR EN SILENCE...

DIS, NARU, Y AURAIT PAS UN TRUC DONT T'AURAIS DÛ NOUS PARLER ?

SI VOUS NE SAVIEZ PAS QUAND IL REVIENDRAIT, MAIS SI C'ÉTAIT SON RÊVE MAIS QUE, PAR ÉGOÏSME, VOUS VOULIEZ L'EN PRIVER...

EUH... SI L'UN DE VOS MEILLEURS AMIS PARTAIT TRÈS, TRÈS LOIN...

BON, Y EN A UN, OUI OU NON ?

MAIS... S'IL Y AVAIT UN TRUC, EUH...

?

...

BREF, SI VOUS VIVIEZ CETTE SITUATION, COMMENT VOUS RÉAGIRIEZ ?

PENSE À TOI, NARU, ET LAISSE PAS PARTIR KEITARÔ !

AH NON, ALORS !

KYAAAAH... ?!

ELLES ONT TOUT COMPRIS ?!

AVEC CES ALLUSIONS, IL NE POUVAIT S'AGIR QUE DE SETA OU DE KEITARÔ...

CELLE-LÀ, ALORS...

FLAP FLAP FLAP

CO... COMMENT VOUS AVEZ FAIT POUR COMPRENDRE CE QU'IL Y AVAIT DANS CETTE ENVELOPPE ?

OH ! ÇA, C'EST DU SHINOBU TOUT CRACHÉ !

NON ! MOI, JE PENSE QU'ELLE DOIT LUI DONNER CETTE LETTRE ET PARTIR LÀ-BAS AVEC LUI...

ÇA, C'EST VRAI ! ALORS NE LE LAISSE PAS PARTIR À PARARAKELSE, MÊME SI POUR ÇA TU DOIS L'ATTACHER !

T'ES SUR LES NERFS DEPUIS QUE T'AS EN MAIN LA LETTRE QUE NYAMO A APPORTÉE...

MOI, JE SAIS CE QUE JE FERAIS...

HIHI... QU'EST-CE QUE TU RÉPONDRAIS À LA QUESTION QU'EST-CE QUI EST LE PLUS IMPORTANT ? MOI OU SON RÊVE... ?

MMH...

BLAH BLAH ♡

EH BEN... ELLES ONT BIEN CHANGÉ...

ON POURRAIT PAS APPORTER PARARA-KELSE ICI ?

IL SERAIT AVEC SETA LÀ-BAS... ?

ET ILS FERAIENT DES FOUILLES ENSEMBLE ?

AH... LES FILLES...

PFFF

...

APRÈS TOUT, ÇA NE DÉPEND QUE DE TOI, NARU !

AAAH... ON S'EMBALLE UN PEU TROP, LÀ...

BLAH BLAH

SI ELLES SONT LÀ J'Y ARRIVERAI... JE VAIS LUI PARLER...

JE SAIS CE QUE JE DOIS FAIRE. ÇA SERA DUR SANS LUI, MAIS...

VIENS PAR ICI, KEITARÔ ! ♪

ATTENDS ! J'AI PAS ENCORE GAGNÉ LA PS2 DE NARU !

HÉÉ ! VOUS VOULEZ PAS QU'ON FASSE DES PURIKURA* AVEC KEITARÔ ?

HINATA ONSEN Summer Special

PRINT'CLU

MUTSUMI... LES FILLES...

ÇA IRA... MOI, J'AI CONFIANCE EN KEITARÔ !

79

D'ACCORD, D'ACCORD ! 300 YENS, C'EST ÇA ?

S'IL TE PLAÎT KEITARÔ...

MOI AUSSI, MOI AUSSI !

HÉÉ ! POUSSE PAS COMME ÇA !

MOI AUSSI, GRAND FRÈRE !

HEIN ? A... AVEC PLAISIR...

J'AIMERAIS EN FAIRE UN AUSSI, KEITARO !

OH OUIIIIII !

KEITARÔ EST BRANCHÉ PURIKURA, NON ? ET SI ON EN FAISAIT UN TOUS ENSEMBLE ? AVEC LUI AU CENTRE ?

WUUUUUUUUUU

LES FILLES ?

COU-COU !

ON LEUR A PEUT-ÊTRE RAPPORTÉ CES BARBES À PAPA POUR RIEN...

AH, IL EST TARD...

KLOT KLOT

Y A PLUS DE LUMIÈRE, ELLES DOI-VENT ÊTRE COUCHÉES...

BEN... OÙ ELLES SONT PASSÉES ?

D'AC-CORD, À DEMAIN !

BON, BEN, J'Y VAIS AUSSI, ALORS...

MMH... BEN... ?! « EXCU-SEZ-MOI D'ÊTRE SI BRUSQUE...

C'EST UN MOT DE SHINOBU !

TIENS ? QU'EST-CE QUE C'EST ?

LA LA LA LÀ LAA♪

MH... ?

82

DÉSOLÉE D'ÊTRE PARTIE SI VITE ET SANS PRÉVENIR !

MAIS JE VOUS QUITTE POUR RETOURNER DANS MA FAMILLE...

...

SHI-NOBU... ?

À MOINS QUE... MH... SI ELLE NOUS AVAIT DIT AU REVOIR, ÇA AURAIT ÉTÉ LES GRANDES EAUX...

MMH...

HAHAHA ! ENCORE UNE BLAGUE !

...

TATATAD TATATAD

KEITARÔ ! KEITARÔ ! SHINOBU EST...

AAAH ! HEIN... ?!

POUR LE GÉRANT

NARUUUU ! MOTOKO EST... ?!

J'AI REÇU UNE INJONCTION DE MA SŒUR...

JE PRENDS DONC CONGÉ DE VOUS JUSQU'À CE QUE CETTE SITUATION SOIT RÉGLÉE...

MOTOKO AOYAMA

SÛÛÛÛ ?!

GARAAM

Y A UN MOT !

ELLE N'EST PAS LÀ NON PLUS ?!

GARAAAAAM

KANAKO ?!

TATATATAP

POURQUOI ELLES SONT TOUTES PARTIES SI VITE ?!

QU'EST-CE QUE ÇA VEUT DIRE ?!

COMME KEITARÔ M'A PLAQUÉE, MA MÈRE A TROUVÉ UN FIANCÉ POUR MOI ET JE RENTRE AU PAYS POUR LE VOIR.

SÛ

MAIS ALORS... ! Y'A PLUS PERSONNE ICI... OH !

ET MUTSUMI EST RETOURNÉE À OKINAWA POUR S'OCCUPER DES 300 TORTUES QUI VIENNENT DE NAÎTRE CHEZ ELLE !

QU'EST-CE QUE TU FAIS... ?

KA-NAKO... ?!

OHO OO...

MAIS POURQUOI TOUT LE MONDE PART D'UN SEUL COUP ?!

J'AI UN PROBLÈME À RÉGLER D'URGENCE AVEC GRAND-MÈRE AU BRÉSIL... IL FAUT QUE J'Y AILLE !

BON ALLEZ, IL FAUT QUE J'Y AILLE !

AH !

PERSONNE NE M'A RIEN DIT...

AH BON ? TOUT LE MONDE... ?

WUUUUU

MAIS...

MH...

WUUUUU

K.O...

...   ...

ÇA VA ÊTRE
À MOI DE
JOUER POUR
LUI REMONTER
LE MORAL...

OH... ÇA A
L'AIR DE LUI
AVOIR PORTÉ
UN COUP...

JE SERAI
TOUJOURS
AVEC TOI !
TOUJOURS
!

ET JE
SUIS LE
GÉRANT
DE CETTE
PENSION
!

RELÈVE-
TOI !
JE SUIS
ENCORE
LÀ, MOI
!

NARU
!

ALLEZ, NARU, JE T'EN PRIE... COURAGE !

TANT QU'ON SERA ENSEMBLE TOUT IRA BIEN, TU VERRAS...

TIENS...

FLIIT

...

LE DIREC-TEUR DE LA SECTION DE RECHERCHES ARCHÉOLO-GIQUES CONJOINTES DES UNIVERSI-TÉS DE PARA-RAKELSE ET DE TOKYO M'INVITE ? MOI ?

QUE... QU'EST-CE QUE... ?!

UNE LETTRE POUR MOI ? DE NYAMO ?

C'EST QUOI ?

T'AS VU ? T'AS VU ? ON ME DÉBAUCHE À L'ÉTRAN-GER !

YOUPIII ! C'EST GÉNIAA AAAL !

PFAA

C'EST UN RÊVE QUI DEVIENT RÉALI...

ÇA VEUT DIRE AUSSI QUE JE SERAI PLUS LÀ... ?!

OH OOO O...

TAAADAAAAM

...

...

TOUT EST D'MA FAUUUTE !

OUIIIIN !

SI JE...

NARU... C'EST PAS...

MH...

CALME-TOI, VOYONS ! JE COMPRENDS RIEN À CE QUE TU RACONTES !

J'AI ÉTÉ NUUULLE ! ET MAINTENANT ELLES SONT TOUTES PARTIES ET, TOI, TU VAS PARTIR AUSSIIII !

OUPS ! DÉSOL...

SLAAAF

AA AH !

NAR UUU UU !

BW AAA AAH !

TA TA TAP

BW OOR RF

QUE DES MALHEURS, J'TE DIS !

ALORS, CALME-TOI UN PEU, ET ARRÊTE DE PLEURER OU DE DIRE DES BÊTISES...

JE TE JURE QUE C'EST PAS VRAI ! T'ES VRAIMENT LA FILLE DE MA PROMESSE. JE... JE M'EN SOUVIENS...

MH... ?!

QUAND ON EST ALLÉS À L'HÔTEL ON N'A RIEN...

ET POUR COURONNER LE TOUT...

À BIEN Y RÉFLÉCHIR, ON A VÉCU QUE DES TRUCS DE FOUS...

TU PENSES TROP, NARU !

RÉFLÉCHIS UN PEU, KEITARÔ... DEPUIS QU'ON SE CONNAÎT J'AI ÉTÉ MATÉE NUE JE NE SAIS COMBIEN DE FOIS, J'AI PLANTÉ TÔDAI, JE SUIS TOMBÉE D'UN AVION AU MOLMOL...

JE... JE SUIS DÉSOLÉ, MAIS...

EUH. BEN. MAIS...

HUM HUM

C'EST VRAI QUE T'AS FOIRÉ UNE FOIS TON CONCOURS D'ENTRÉE À TÔDAI, ET ALORS ? TU L'AS RÉUSSI APRÈS, NON ?

KEITARÔ...

ET ÇA SUFFIT À TE FAIRE BAISSER LES BRAS ?!

TCHOP

AAH, JE SUIS PIRE QUE TOUT ! JE VOUDRAIS DISPA-RAÎTRE !

NARU...

TU CROIS ? TU CROIS VRAIMENT, KEITARÔ ?

DONNE-NOUS ENCORE AU MOINS UNE CHANCE D'ÊTRE HEUREUX, IL FAUT CONTINUER À Y CROIRE...

D'AC-CORD, NARU...

ON VA ESSAYER D'Y CROIRE ENCORE AU MOINS UNE FOIS...

À TE FAIRE BAISSER LES BRAS ?

ET ÇA SUFFIT...

ON VA ENCORE ESSAYER...

D'AC-CORD...

C'EST NOTRE ULTIME RENCARD...

ET VOILÀ... ON Y EST...

WOOF

HAHA HA... DE RIEN...

WAOUH ! C'EST VRAI ? JE PEUX ? MERCIIII !

ALLEZ, JE T'ACHÈTE QUELQUE CHOSE, NARU...

REGARDE ! ÇA, ÇA T'IRAIT BIEN...

ET SI ON EN FAIT PAS UN MOMENT DE BON-HEUR...

HEIN ?!

KBOM

EUH... BUG ! J'AI QUE 500 YENS*...

14000 YENS*, SVP...

* ENVIRON 4 EUROS

* ENVIRON 109 EUROS

Y'A AU MOINS TROIS HEURES DE QUEUE !

QUOI ?! JUSTE AUJOURD'HUI ?!

OH REGARDE ! J'AI PLEIN DE TICKETS GRATUITS QUE SHIRAI ET HAITANI M'ONT DONNÉS...

HAHAHA ! C'EST BON, LAISSE TOMBER...

VISITE DU PALAIS FERMETURE EXCEPTION-NELLE

BLAH BLAH

WAA AAH ?!

HEIN ?

EUUUH... OUI... SI JE PEUX FAIRE QUELQUE CHOSE...

FIOUP!

FIOUP FIOUP FIOUP

...

FROT

ZWIIP

GAAH !

CHBOONG

BWO ORF

NAR UUU !

NA...

KEI-TARÔ...

PIN POON

PIN POON

UNE AMBU-LANCE !

VITE, VITE ! LE COUPLE DE LA CHAMBRE 405 VIENT D'ÊTRE RETROUVÉ INCONSCIENT !

J'EN AI MARRE !

BON, ÇA SUFFIT...

OUUH...

TRLLB

WUUUU WUUUU

NARU...

MÊME EN FAISANT DES EFFORTS, ON N'ARRIVE PAS À ÊTRE HEUREUX...

IL RÊVE DE DEVENIR ARCHÉOLOGUE...

JE SUIS TRÈS HEUREUSE DE CE QUE KEITARÔ RESSENT POUR MOI, MAIS JE DOIS PAS FAIRE PREUVE D'ÉGOÏSME...

JE T'ENCOURAGERAI DEPUIS LE JAPON !

VAS-Y, KEITARÔ...

MAIS... NARU...

HEIN ?

ALORS C'EST OK ! TU Y VAS ! ET MOI, JE T'APPELLE-RAI TOUS LES JOURS !

OUI... C'EST SÛR. C'EST CE QUE JE VOULAIS, MAIS...

ILS COMPTENT SUR TOI, LÀ-BAS !

MH... ?

BEN, QUOI ?! C'EST SUPER NON ? TU VAS PRENDRE LA RELÈVE DE SETA !

95

MAIS ON N'Y EST PAS ARRIVÉS... !

VOUS NOUS AVEZ TOUTES ENCOURAGÉS...

LE LENDE-MAIN...

BON...

JE SUIS DÉCIDÉ...

NARU ?

JE ME DEMANDE CE QU'ELLE A FAIT DEPUIS HIER. ELLE A DÛ S'ENFERMER DANS SA CHAMBRE...

MMH... J'Y AI PENSÉ TOUTE LA NUIT...

J'AI BEAUCOUP RÉFLÉCHI, ET...

TU SAIS...

OHO OO !

OH !

JE ME SUIS BIEN AMUSÉE CES TROIS DERNIÈRES ANNÉES, ET J'ESPÈRE QUE CE QUE TU FERAS À PARARAKELSE TE PASSIONNERA. AU REVOIR... NARU

JE SAIS QUE C'EST SOUDAIN, MAIS JE RETOURNE CHEZ MES PARENTS. EXCUSE-MOI DE NE PAS T'AVOIR DIT AU REVOIR...

Cher Keitarô,

Je sais que c'est soudain, mais je retourne chez mes parents. Excuse-moi de ne pas t'avoir dit au revoir... Je me suis bien amusée ces trois dernières années, et j'espère que ce que tu feras à Pararakelse te passionnera. Au revoir...

Naru

CHEZ SES PARENTS... SES PARENTS...

NARU !

TA TA TA TA TA

VLA AM !

LES PARENTS DE NARU ? ILS SONT SUR LA YAMANOTE*, À MEJIRO*... À CÔTÉ D'IKEBUKURO*... ♡

MAIS... ILS SONT OÙ SES PARENTS ?!

HÉ HÉHÉ ! FAIS GAFFE À TES FESSES ! ♡

'SCUSE, MAIS JE SUIS PRESSÉ !

T'AVAIS OUBLIÉ MON EXISTENCE, OU QUOI ? TIENS, V'LÀ DES TICKETS !

AAWH ! KITSUNE ?!

...

HU HUM... ♡

JE ME DEMANDE S'ILS VONT Y ARRI-VER...

PFF...

OUI, J'ARRIVE... JE NE SERAI PAS LONGUE !

ALLÔ, MAMAN ?

LOVE HINA

KRII HSSS

MEJI-ROOO ! MEJI-ROOOOO !

SALUT, KEITARÔ !

...

TÔDAI EST PRÈS DE CHEZ MOI, ALORS NE T'INQUIÈTE PAS !

ET QUAND TU SERAS À PARARAKELSE, J'AI PAS ENVIE DE RESTER SEULE À LA PENSION !

NON, ÇA SUFFIT ! JE SUIS PAS LA FILLE DE TA PRO-MESSE...

MAIS...

...

EUH...

PWUUSSSH

MAIS...

JE...

HINATA 118 - LA FILLE DE LA PROMESSE (II)

NA-RU-UU-UU!

NA...

...

...

AïïïïE! PAR-DOO-OON!

BONK BONK BONK BONK BONK

À CAUSE DE TOI J'AI PAS PU DES-CENDRE!

FERME-TURE DES PORTES!

PWUUFF

F'LOOF

QUOI ENCORE ?! AAAH!

IKEBU-KUROO! IKEBU-KUROOO!

LAISSE TOMBER! J'VAIS DESCENDRE À LA SUIVANTE ET FAIRE DEMI-TOUR...

C'EST VRAI, MAIS...

POURQUOI TU ME FRAPPES ? J'AI JUSTE CRIÉ TON NOM!

...

NON... MAIS J'ADORE ÊTRE DEVANT LES PORTES...

TU VEUX M'EMPÊCHER DE PASSER ?

PFFF...

AAH !

TA TATAP

TADA DA DA

LA FERME ! ET CRIE PAS SI FORT ! TU ME FOUS LA HONTE !

ARRÊTE, NARU ! ON PEUT PAS SE SÉPARER COMME ÇA !

TTRRRR

HÉ ÉÉ !

FWOOF

IKEBU-KUROO ! IKEBUKU-ROOO !

NOO ON...

RA AH !

WOOSSH

J'ENTENDS RIEN ! J'ENTENDS RIEN ! ET J'VEUX RIEN ENTENDRE !

EXPLIQUE-MOI POURQUOI TU VEUX QUITTER LA PENSION...

KATAKLANG

T'EN AVAIS JAMAIS PARLÉ...

KATAKLANG

QUOI ? T'AS UNE PETITE SŒUR ?

BEN, TOI NON PLUS, T'AVAIS JAMAIS PARLÉ DE KANAKO AVANT.

OUI. J'EN AI UNE...

DRiiiiiNG

UNE HEURE PLUS TARD...

BLAH BLAH BLAH

ZUT ! JE L'AI ENCORE RATÉE !

HEIN ?! AAAH !

MEJI-ROOO ! MEJI-ROOO !

MMH... ?!

T'AS UNE FAÇON DE DIRE LES CHOSES...

MMH... SI C'EST TOI, EN PLUS JEUNE, ELLE DOIT ÊTRE TRÈS JOLIE !

BAH... LA YAMANOTE EST CIRCULAIRE...

J'ÉTAIS EN TRAIN DE T'ÉCOUTER ET J'AI OUBLIÉ DE DESCENDRE !

HAHAHA ! T'AS PEUT-ÊTRE BIEN RAISON...

OH...

C'EST PAS POSSIBLE ! QUAND T'ES LÀ, J'SUIS À CÔTÉ DE MES POMPES !

KATAKLANG KATAKLANG

WAAH ! REGARDE COMME C'EST BEAU !

OUI ! CE COUCHER DE SOLEIL EST MAGNIFIQUE !

MEJI-ROOO ! MEJI-ROOO !

KATAKLANG

D'AC-CORD

ON REFAIT ENCORE UN TOUR ?

KATA KLANG KATA KLANG

KRIIISSSH

KEITARÔ...

PLIIIP

JE RÊVE
?

KATAKLANG

KATAKLANG

...

KATAKLANG

?

C'EST LA
PENSION
HINATA
!

MAIS...

KATA
KLANG

KATAKLANG

LES FILLES !

OH...

BWO OOO RRF !

HA HA HA

ESPÈCE DE PER-VERS !

ELLES SONT REVENUES...

ELLES SONT TOUTES LÀ !

ATTENDEZ

KATAKLANG

OH—!

TIENS ? C'EST MOI ! DONC JE RÊVE...

WATER DRAG

C'EST ENCORE LA PENSION... ?

KATAKLANG KATAKLANG

MAIS... ?

C'EST LE JOUR DU CONCOURS

KEITARÔ...

OH !

BAH... MOI AUSSI...

HAHA ! DIRE QU'IL S'EST PLANTÉ CE CRÉTIN...

J'SUIS EN TRAIN DE REMONTER LE TEMPS !

CE RÊVE... CE TRAIN... C'EST ÇA !

BIENVENUUUE...

ET ÇA C'EST LE JOUR OÙ KEITARO EST ARRIVÉ...

MOTOKO !

OOH... LA PETITE SHINOBU...

SETA ! Y'A PAS, C'EST UN BEAU MEC !

C'EST MON ARRIVÉE !

OH !

LA PENSION S'EST TELLEMENT ANIMÉE À PARTIR DE CE JOUR-LÀ !

ET SÛ ! HAHAHA !

C'ÉTAIT BIEEEN... Y'A BIEN EU DES PETITS BUGS, MAIS ÇA A TOUJOURS ÉTAIT SUPER...

C'EST KITSUNE QUI M'A PRÉSENTÉE...

C'ÉTAIT GÉNIAL, J'ÉTAIS TOUT LE TEMPS HEUREUSE...

J'AIMERAIS BIEN REVENIR À CETTE ÉPOQUE-LÀ...

DIS, TU SAIS QUE...

LE TERMINUS ?

WUUUUU

PWUUUSSSH

PENSION HINA-TAAA ! TERMI-NUUUS !

MH... ? HEIN... ?

OH !

QUAND DEUX PERSONNES QUI S'AIMENT SE RETROUVENT À TÔDAI, ELLES SONT HEUREUSES POUR TOUJOURS !

ALORS, FINALEMENT, COMMENT ÇA S'EST PASSÉ ?

MH... ?

TU Y ES BIEN ALLÉE AVEC MOI, HEIN ? DIS-MOI, DIS-MOI !

HEIN, NARU ? T'ES DEVENUE HEUREUSE APRÈS ÊTRE ALLÉE À TÔDAI ?

MMH...

HEIN ?

ET C'EST POUR ÇA QUE JE NE SUIS PAS HEUREUSE... VRAIMENT DÉSOLÉE !

JE SUIS DÉSOLÉE, MAIS JE SUIS PAS CELLE QUE VOUS CROYEZ...

AH BON... ?

POURTANT, T'AS L'AIR PLUTÔT HEUREUSE...

WOOF

AAAAH ?!

OÙ ON EST ?!

OOH !

OÙ ILS SONT TOUS PASSÉS ?

BEN... QU'EST-CE QUE... ?!

SLOFF

GROOM GROOM

MMH... ? QU'EST-CE QU'IL Y A ?

KEI-TARÔ ! RÉVEIL-LE-TOI ! KEITA-RÔÔ !

MAIS C'EST PAS VRAI ! POURQUOI C'EST TOUJOURS LA GALÈRE AVEC TOI ?!

BON, BEN... ON A PLUS QU'À ATTENDRE LE MATIN POUR SORTIR D'ICI !

HEIN ?! MAIS C'EST PAS POSSIBLE ! NORMALEMENT Y A UN CONTRÔLEUR QUI VÉRIFIE LE TRAIN !

MH... ON S'EST ENDORMIS, ET ON A RATÉ LE TERMINUS... ON DOIT ÊTRE AU HANGAR !

T'AS RAISON...

SNIF

PFFF... QUE DES MALHEURS, J'TE DIS... J'SUIS SÛRE QUE C'EST PAS MOI...

MAIS, MOI, ÇA ME PLAÎT...

C'EST VRAI QU'IL NOUS ARRIVE TOUJOURS DE DRÔLES DE TRUCS...

KRAAK

POURTANT, T'AS L'AIR PLUTÔT HEUREUSE...

AH BON...

JE...

HEIN ?

MÊME SI ON EN BAVE... T'AS PAS TROUVÉ CETTE JOURNÉE AMUSANTE ?

BOONG BOONG

JE VOUUUS AIII TROU-VÉÉÉÉS...

JE...

QUE... ?

...

QU'EST-CE QUE TU RACON-TES ?!

AAAAH ! Y'A UN FANTÔÔ-ME !

JE T'AI TROU-VÉÉÉÉ, KEITA-RÔ !

SEERRR

AA AH !

CLOONG

DIS, CETTE VOIX, ÇA ME RAPPELLE QUELQU'UN !

AA AAH !

ON SE CASSE !

CLONG CLANG

GYAA AAAAH !

TA DADADA

120

HAHA
HAATA
!

KEI-
TARÔ
!

GRAND-
MEEERE
?!

C'EST
GRAND-
MÈRE
?!

WUSSH

HEIN...
?!

AH!

TU
VEUX
SAVOIR
QUI EST
LA FILLE
DE TA
PROMESSE
?

DOOOOM

QUOI
?

TCHOP

NA...
NARU
!

KYAAH !
REGARDE
PAS
!

PASSE
PAR LA
FENÊTRE
!

KRUIIII

EUH...
LA PORTE
EST
FERMÉE,
KEITARÔ
!

ON
S'CAA-
AASSE
!

TADA DA DADA

122

CRITCH CRITCH

HAN

HAN

PFFF... C'EST QUOI, CE DÉLIRE ?

NOOON !

ATTENDS, KEITARÔ !

VROOOM

AAH ! LAISSEZ-MOI DES-CEEENDRE !

VLAAM

OOH ! REGARDE...

EST-CE QUE ÇA VA, NARU ?

CRITCH CRITCH

C'EST... LA PENSION ?

BEN... ON Y EST... REVE-NUS ?!

124

ÊTES-VOUS MALHEUREUX ENSEMBLE ?

...

NA-RU...

ON EST TROP MALHEU-REUX... BEAUCOUP TROP...

...

JE SUIS PAS LA FILLE DE SA PRO-MESSE...

J'EN AI MARRE ! ON ARRÊTE TOUT...

NON ! ON N'EST PAS MALHEUREUX !

JE...

ON EST PAS MALHEUREUX DU TOUT ! ON EST MÊME TRÈS HEUREUX !

ON EST HEUREUX, ET ON EN PROFITE BIEN !

OOF

GRAND-MÈRE !

!

PAS VRAI, NARU ?!

KEI...

KEI-TARÔ ?

125

C'EST VRAI QU'ON A ÉTÉ SFF ET QU'ON A EU DES ACCROS... MAIS MALGRÉ TOUT CE QUI S'EST PASSÉ, ON A GARDÉ LE SOURIRE !

LE SIMPLE FAIT D'ÊTRE ENSEMBLE NOUS REND HEUREUX !

J'AI VU NARU NUE, ET ALORS ? ELLE ARRÊTE PAS DE ME FRAPPER, ET ALORS ?!

ON RIGOLE MÊME DES VANNES QUE LES FILLES NOUS LANCENT, ET ON VEUT QUE ÇA DURE TOUTE LA VIE !

QUAND JE SUIS AVEC ELLE, C'EST COMME DANS UN RÊVE...

MÊME SI À CAUSE DE ÇA, ON ÉTAIT MALHEUREUX, ON ESSAIE-RAIT QUAND MÊME !

NARU NE SERAIT PAS LA FILLE DE MA PROMESSE ? ET ALORS ?!

KE... KEÏ-TARÔ !

GRAND-MÈRE URASHIMA EST LÀ ?!

QUOI ?!

OUI, SUR LE TOIT !

OH, C'EST VRAI ! GRAND-MÈRE !

IL S'EST PASSÉ QUELQUE CHOSE ICI ?

HEIN ?

HÉHÉHÉ ! T'EN FAIS PAS UN PEU TROP, LÀ ?

T'ES BIZARRE, NARU !

GNIARK GNIARK

QUÔ ÔAA ÂA ?!

OUI, NARU, REGARDE !

QU'EST-CE QUE TU RACONTES, NARU ? C'EST JUSTE UNE STA-TUE...

STOK

FLAP FLAP FLAP

?!

HAHA HAHA...

BLAH BLAH

!

TA TA TAP

MMH...

TU AS ATTEINT TON BUT, NON ?

VOILÀ, TU ES PRÊTE À REPARTIR GRAND-MÈRE ?

133

TIENS, VOUS AVIEZ COMPRIS QUE J'ÉTAIS VRAIMENT LÀ ?

GRAND-MÈRE ?!

ATTENDS ! TU PEUX PAS PARTIR COMME ÇA !

GRAND-MÈRE !

ET TOI, NARU, TU ÉTAIS UNE JEUNE FILLE FRAGILE, ET TU ES DEVENUE UNE TRÈS BELLE JEUNE FEMME.

KEITARÔ... TU ÉTAIS PLUTÔT GEIGNARD DANS TON GENRE MAIS TU ES DEVENU QUELQU'UN DE BIEN !

DADAAAM

HEIN ?

AH... AU FAIT KEITARÔ... LA FILLE DE TA PROMES- SE...

POM POM

EUH...

OH !

CE QUE J'AI ENTENDU TOUT À L'HEURE M'A PRESQUE FAIT ROUGIR...

ELLE SE TIENT À TES CÔTÉS...

EH BIEN...

BON !
PUISQU'ON
EST AU
COMPLET...

ÇA VOUS
DIT DE FAIRE
LA TEUF
?

HEIN ?
À CETTE
HEURE-CI
?!

YEA
AAH
!

KEI-
TARÔ
!

VIENS
VOIR
!

NARUU
!

C'EST UNE
CAPSULE
TEMPORELLE
EN FORME
DE RIDD
!

REGARDE,
J'AI CREUSÉ
SOUS LE BAC À
SABLE COMME
L'AVAIT DIT
GRAND-MÈRE
DANS SON
DERNIER
MESSAGE,
ET J'AI
TROUVÉ
ÇA...

KEITARÔ... MUTSUMI... NARU...

MUTSUMI

ON IRA TOUS À TÔDA!

NARU

KEITARÔ

OUI...

ÉVIDEM-MENT...

MAIS NON ! VAS-Y ! ILS T'ATTENDENT !

BAH... JE PEUX TRAVAILLER N'IMPORTE OÙ...

EUH...

AU FAIT, TU AS ABANDONNÉ L'IDÉE D'ALLER À PARARAKELSE ?

MMH... ?

MOUAIS, MAIS, POUR MOI, IL Y A UNE CHOSE PLUS IMPORTANTE QUE ÇA POUR L'INSTANT...

BEN, ALORS ?! TU POURRAIS ME RÉPONDRE ! J'AI L'AIR DE QUOI, MOI ?

...

TU PARLES DE MOI ?

EST-CE QUE...

OH OUI ! MOI AUSSI !

TU SAIS, SUR CETTE FEUILLE, JE VAIS ÉCRIRE CE DONT JE RÊVE AUJOURD'HUI...

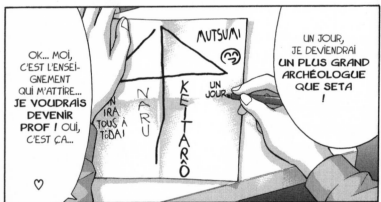

OK... MOI, C'EST L'ENSEIGNEMENT QUI M'ATTIRE... **JE VOUDRAIS DEVENIR PROF !** OUI, C'EST ÇA... ♡

MUTSUMI

UN JOUR...

ON IRA TOUS À TÔDAI

NARU

KEITARÔ

UN JOUR, JE DEVIENDRAI **UN PLUS GRAND ARCHÉOLOGUE QUE SETA** !

MMH... TU ÉCRIS QUOI ?

BON, D'ACCORD, ALORS, ATTENDS... VOYONS VOIR...

MMH... TU CROIS ? IL FAUDRA QUE JE FASSE ATTENTION À CE QUE MES ÉLÈVES NE DEVIENNENT PAS DES SFF AUSSI INDÉCROTTABLES QUE TOI...

ÇA, C'EST VRAIMENT PAS SYMPA !

MAIS POUR TOI, ÇA VA SE RÉALISER TRÈS VITE ! TU M'AS DÉJÀ FAIT RÉUSSIR LE CONCOURS DE TÔDAI...

NAAAN ! TU VERRAS PAS !

HÉÉ ! FAIS-MOI VOIR !

QUAND DEUX PERSONNES QUI S'AIMENT SE RETROUVENT À TÔDAI... HIHIHI...

DITES, VOUS ÉTIEZ AU COURANT ?

4 ANS DE COHABITATION...

Félicitations : vous êtes à la fin de l'histoire ! Mais on continue un peu quand même... Je voudrais dire quelques mots aux filles de la pension.

À Sarah :
Tu as grandi très vite (rires)... Ne laisse pas les hommes te tourner autour tout de suite.

À Shinobu :
Toi aussi tu as grandi bien vite ! (surtout en tour de poitrine !). Tes larmes vont beaucoup me manquer...

À Sû :
toi, tu n'as absolument pas changé ! (rires). Fais un bon mariage !

À Motoko :
Excuse-moi de t'avoir fait mener une vie si dure. Mais je crois que tu es celle qui as le plus grandi, tu t'es transformée en une jeune femme magnifique et très féminine. Oublie vite Keitarô et trouve le bonheur ! (rires)

À Kitsune :
Merci du rôle que tu as tenu tout au long de cette histoire. Ça m'a beaucoup aidé que tu sois là. Et pardon si je ne t'ai pas assez souvent dessinée sexy !

À Naru :
Félicitations pour ton mariage ! Désolé de t'avoir dessinée nue aussi souvent ! Mais maintenant que c'est fini, ça va aller (non ?). Keitarô est fou de toi, alors crois en lui !

**Décembre 2001
Ken Akamatsu**

LOVE HINA - LES PERSONNAGES

CROQUIS

<u>LOVE HINA</u>
<u>FINAL</u>

VOICI LES DERNIERS CROQUIS DE CETTE HISTOIRE. IL S'AGIT D'UNE NOUVELLE PENSIONNAIRE, EMA MAEDA. JE VOUS LAISSE EN SA COMPAGNIE...

ANTENNE

CHEVEUX GONFLANTS

LE CAMÉLÉON, LÉON

COULEUR SI

EMA MAEDA
15 ANS

C'ÉTAIT L'UNIFORME DE MON LYCÉE, MAIS UN AUTRE SERAIT BIEN AUSSI...

PARMI TOUS LES PERSOS, C'EST CELLE QUI A LES BRAS ET LES JAMBES LES PLUS LONGS ET LES PLUS FRÊLES.

QUELQUE CHOSE COMME ÇA... ?

LA PATTE DU CAMÉLÉON

SAC

Ema donne l'image d'une fille fragile... Elle porte des lunettes, elle a de longs cheveux raides, des antennes et pas beaucoup de personnalité. Son uniforme est assez moche et on a essayé de la rendre la moins jolie possible. (On n'avait pas de modèle particulier...) Au début, on avait écrit son nom avec les idéogrammes signifiant "devant la rizière" mais on a fini par opter pour ceux ayant le sens de "vraie branche"...

FAIT RÉFÉRENCE À ESCAFLOWNE

SAC À DOS

VALISE

CHEVEUX GONFLANTS

MÈCHES LARGES

GRAND ESPACE ENTRE L'ŒIL ET LE SOURCIL

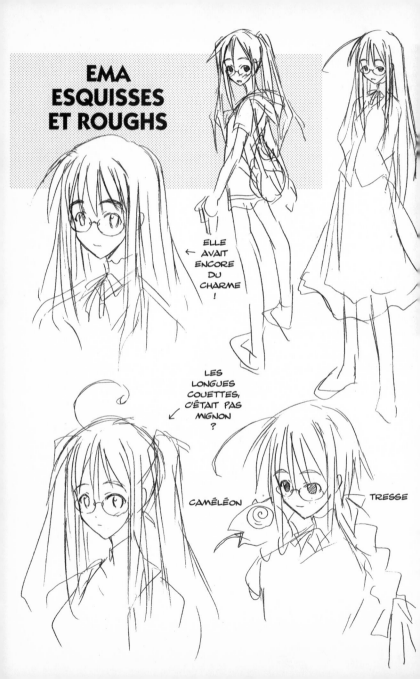

EMA
ESQUISSES
ET ROUGHS

ELLE
← AVAIT
ENCORE
DU
CHARME
!

LES
LONGUES
COUETTES,
↙ C'ÉTAIT PAS
MIGNON
?

CAMÉLÉON

TRESSE

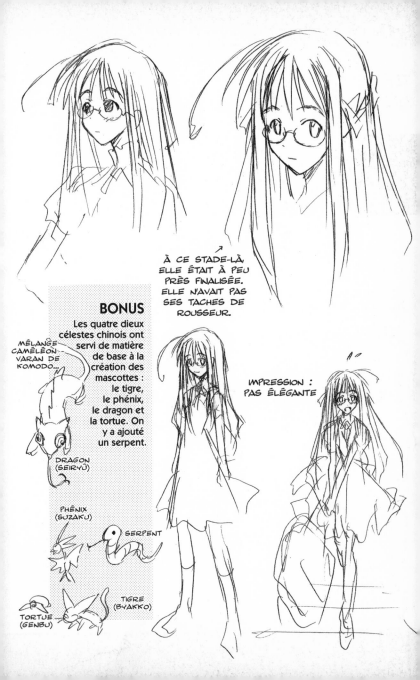

À CE STADE-LÀ, ELLE ÉTAIT À PEU PRÈS FINALISÉE. ELLE N'AVAIT PAS SES TACHES DE ROUSSEUR.

BONUS

Les quatre dieux célestes chinois ont servi de matière de base à la création des mascottes : le tigre, le phénix, le dragon et la tortue. On y a ajouté un serpent.

MÉLANGE CAMÉLÉON-VARAN DE KOMODO...

DRAGON (SEIRYÛ)

PHÉNIX (SUZAKU)

SERPENT

TORTUE (GENBU)

TIGRE (BYAKKO)

IMPRESSION : PAS ÉLÉGANTE

TENUES DE SOIRÉE
CROQUIS - HISTOIRE FINALE

SHINOBU   NYAMO   SŪ

MOTOKO   TSURUKO

Pour
cette dernière
histoire, on a essayé
de faire des dessins
très chics. En fait, ceux
qui paraissent blancs
sont en réalité
rose clair...

MUTSUMI　　　KANAKO　　　SARAH　　　KITSUNE

Vous voyez qu'il y a
beaucoup de persos auxquels
il a fallu penser, et autant de
genres différents. C'était
un vrai casse-tête.

POUR HARUKA,
C'ÉTAIT CE QU'ELLE
PORTAIT POUR SA LUNE
DE MIEL DANS
LE VOLUME 13.

LE CADRE DE LOVE HINA

↑ Voici la pension... vous l'aviez reconnue, non ? C'est là que tout commence...

Les lecteurs avertis que vous êtes l'auront remarqué, n'est-ce pas... (rires), dans Love Hina, on gardait les images d'arrière-plan. On les a modifiées, arrangées, je ne sais combien de fois pour pouvoir les réutiliser (notre staff faisait comme avec une banque d'images). De cette manière, ça allégeait le travail des dessinateurs qui pouvaient se concentrer sur d'autres dessins, et ça permettait de s'attacher davantage aux lieux (rires). Ça avait un certain mérite... D'ailleurs, ça serait intéressant de compter le nombre de fois où ces images réapparaissent dans l'œuvre... Hahaha !

↑ Le hall de la pension. C'est un des lieux de rencontres des filles. J'ai même l'impression de l'avoir visité moi-même des dizaines de fois... (rires)

← Le bureau du gérant, de fait, la chambre de Keitarô. Il s'y passait aussi des choses plus intimes...

Le café Hinata. →
Il est à la japonaise.
Dans la série, c'est
lui qui joue le plus
sur l'effet nostalgie.
En tout cas, les
nombreuses fois
où il apparaît, c'était
dans ce but !
L'avez-vous ressenti
comme ça ? J'irais
volontiers y boire
un petit café...

← La chambre de Naru.
C'est là que Naru et
Keitarô bossaient tous
les deux. Même quand
il n'y a personne, ça a
l'air sympa...

Le van de Seta.
Bien sûr ce n'est pas
un lieu, mais il apparaît
si souvent qu'il fallait
en parler... Partir en
pique-nique avec les filles
dans cet incontournable
véhicule, ça serait cool,
non ? (^-^)   ♪
                       ↓

Alors ? Ça
vous a plu ?
Maintenant
qu'on vous a
fait prendre
conscience
de l'environ-
nement de
la série, si
vous la relisiez
en y prêtant
plus
d'attention ?
(^-^)
       ☆
Allez, à
plus tard !
Max l'assistant.

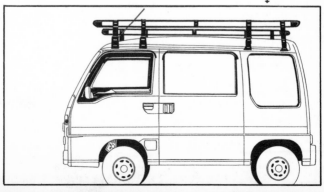

IL Y A QUELQU'UN ?

BONJOUR, EXCUSEZ-MOI...

JE VOUDRAIS HABITER ICI ! IL Y A QUELQU'UN ?

S'IL VOUS PLAÎÎT !

UN PEU DE CRAN ! C'EST ICI QUE T'AS DÉCIDÉ DE RENAÎTRE, NON ?

AAH... ARRÊTE, EMA !

VIIIIIDE

...

IL N'Y A QU'EN ÉTANT ICI QUE JE PARVIENDRAI À ENTRER À TÔDAI...

J'AI 15 ANS, PAS DE PETIT COPAIN, PAS DE POITRINE, DES LUNETTES, DES TACHES DE ROUSSEUR, ET JE SUIS ÉGOÏSTE ! À VRAI DIRE, JE SUIS MÉPRISÉE DE TOUS...

UN ROTEN BURO* ! QU'EST-CE QU'IL EST BEAU !

WAAAH !

MAEDA, JE M'APPELLE MAEDA ! EMA ! EMA MAEDA ! EMA

JE M'AP-PELLE EMA MAEDA, J'AI 15 ANS ET JE VEUX FAIRE TÔDAI !

DISONS QUE T'AS UNE FAÇON BIEN À TOI DE TE PRÉSEN-TER...

AH ! QUOI ? POURQUOI VOUS VOUS MOQUEZ ?!

HAHAHAHA !

HI HI

BOK

MOI, JE SUIS DANS LA CHAMBRE 201, JE M'APPELLE SHINOBU MAEHARA ET JE SUIS EN DEUXIÈME ANNÉE...

OUI ! C'EST VRAI... ON A TOUTES BEAUCOUP TRAVAILLÉ !

CABOT

C'EST RIEN... MAINTE-NANT, ON PEUT ÊTRE AMIES...

AH, BEN...

EXCUSE-NOUS, ON T'A PRISE POUR UN OBSÉDÉ !

ON M'A DIT QUE VOUS ÉTIEZ TOUTES À TÔDAI, C'EST VRAI ?

MH... ? AH ! JE...

161

ÇA SE VOIT PAS, MAIS ELLE S'OCCUPE DE L'UN DES PLUS CÉLÈBRES DÔJO DE TOKYO !

CELLE QUI S'OCCUPE DU GÂTEAU, LÀ, C'EST MOTOKO AOYAMA. ELLE EST EN TROISIÈME ANNÉE DE DROIT...

CHUT... DEPUIS QUELQUE TEMPS, ELLE PASSE SES JOURNÉES À ÉCRIRE DES ROMANS À L'EAU DE ROSE...

QU'EST-CE QU'ELLE EST BELLE !

SALUT !

ELLE, C'EST MUTSUMI OTOHIME...

ELLE AUSSI EST À TÔDAI !

OH LÀ LÀ ! ELLE AUSSI, ELLE EST BELLE !

EN FAIT, DANS SON PAYS C'EST UNE PRINCESSE... MAIS ELLE FAIT SES ÉTUDES AU JAPON...

CELLE QUI ACCROCHE LES GUIRLANDES, C'EST SÛ KAORA. ELLE EST AU LYCÉE...

PFF... QU'EST-CE QUE JE VIENS FAIRE ICI... ?

ELLES SONT TOUTES BELLES ET INTELLIGENTES...

HEIN... ? UNE PRINCESSE ?

MH ?

REGARDE, VOILÀ LEURS VÊTEMENTS...

OH...

WAOUH ! ILS SONT SUPERBES ! ♡

QUAND ILS ÉTAIENT ENFANTS, IL SE SONT PROMIS D'ALLER À TÔDAI ENSEMBLE ET ILS SE SONT RETROUVÉS À 20 ANS POUR RÉALISER CE RÊVE..

ELLE, ELLE EST RENTRÉE CHEZ SES PARENTS POUR TOUT METTRE AU POINT...

AH ÇA...

QUEL GENRE DE FILLE VA PORTER UNE ROBE AUSSI MAGNIFIQUE ?!

QUOI ?

JE VOIS... ALORS LE FIANCÉ DOIT ÊTRE EXCEPTIONNEL, LUI AUSSI !

C'EST QUI CETTE NANA ?! UN DÉMON ?!

C'EST UNE TRÈS JOLIE FILLE, ET QUAND ELLE PRÉPARAIT LE CONCOURS DE TÔDAI, ELLE ÉTAIT PREMIÈRE AUX EXAMENS BLANCS NATIONAUX...

BEN, QUOI ?!

HAHAHA HA HA HA HA !

COMME MOI ?!

48 DE MOYENNE... ?

QUOI ?

LUI ? PAS DU TOUT ! C'EST VRAI QU'IL FAIT TÔDAÏ AUSSI, MAIS IL EST RESTÉ 3 ANS SANS FAC ET, AU DÉBUT, IL AVAIT 48/100 DE MOYENNE !

HEiiiN ?! BEN, ALORS, POURQUOI ELLE L'ÉPOUSE ?

J'AI JAMAIS VU UNE LOPETTE PAREILLE !

IL S'EST MÊME TIRÉ À L'ÉTRANGER PARCE QU'IL AVAIT FOIRÉ L'CONCOURS !

EN PLUS, C'EST UN GAFFEUR NÉ ET UN PEU OBSÉDÉ. JE SAIS PAS COMBIEN DE FOIS IL NOUS A MATÉES AU BAIN ! ET IL A UNE AFFECTION **TOUTE** PARTICULIÈRE POUR NOS POITRINES...

MH... ?

BAH... OUAIiiS...

DONC C'EST PLUTÔT UN GARS SUPER ?!

C'EST VRAI... EN PLUS, IL A RÉALISÉ SON RÊVE PROFESSIONNEL... ET, MAINTENANT, IL PARCOURT LE MONDE POUR FAIRE DES FOUILLES ARCHÉOLOGIQUES...

IL A BOSSÉ COMME UN FOU POUR ENTRER À TÔDAÏ ET TENIR SA PROMESSE...

HAHAHA. EN FAIT, IL EST PAS SI NUL QUE ÇA...

ÇA EXISTE VRAIMENT...

ÇA ALORS ! QUELQU'UN QUI AVAIT LA MÊME MOYENNE QUE MOI A PU EN ARRIVER LÀ...

ET CETTE ANNÉE, CONTRE MOTOKO, IL A GAGNÉ 16 FOIS ET PERDU 27 FOIS. IL A VACHEMENT PROGRESSÉ !

TU SAIS, EMA...

GLUPS

ALORS, NE BAISSE JAMAIS LES BRAS, ET GARDE ESPOIR...

IL Y A UNE FORCE ÉTRANGE DANS CETTE PENSION QUI POUSSE LES GENS À RÉALISER LEURS RÊVES...

AAH ! QU'EST-CE QUE TU DIS ENCORE COMME CONNERIES, SÛ ?!

DIS-MOI, SHINOBU, ET TON RÊVE DE SORTIR AVEC KEITARÔ, T'AS LAISSÉ TOMBER ?

AH BON ?!

UNE FORCE ÉTRANGE ?

ARRÊTE, MOTOKO ! C'ÉTAIT PAREIL POUR TOI, J'TE RAPPELLE !

MH...

MH...

TU REGRETTES, SHINOBU ?

NOOON ! KYAAAAH

RENDS-LE-MOI !

ÇA Y EST ! C'EST REPARTIII ! ♡

UNE KENDÔKA SE POINTE À UNE CÉRÉMONIE DE MARIAGE, ET SUBJUGUE LE MARIÉ ! C'EST PAS BIZARRE, ÇA ?!

OÙ T'AS EU ÇA ? C'EST À MOI ! PAS TOUCHE !

TIENS, RACONTE-MOI DONC UN PEU CETTE HISTOIRE À L'EAU DE ROSE !!

MÉCA-TAMA 30 ! EN PISTE !

YOO ! MOI AUSSI, J'AI DU NOUVEAU !

AAH ! C'EST QUOI, ÇA ?!

VROO OOR

KYA AAH !

AAH !

ZAAK

DOUBLE LAME-ÉCLAIR POUFENDEUSE DE DÉMONS !

BROOOM

BOGOOOOOM

HÉ HÉ HÉ ! ON L'A EU !

GY AA AH !

MH... ?

MAIS C'EST QUOI CETTE MAISON DE FOUS ? JE CROIS QUE C'EST PAS VRAIMENT UN ENDROIT POUR MOI... JE VAIS RENTRER À LA MAISON !

OOOOH... ELLES ONT TOUTES L'AIR SUPER INTEL-LIGENTES...

TRBL

TRBL

CHAMBRE 304... NARU NARUSEGAWA...

LA ROBE DE TOUT À L'HEURE...

ZIEUT ZIEUT

...

J'AIMERAIS BIEN LUI RESSEMBLER...

UNE FILLE AUSSI BELLE ET DOUÉE QU'ELLE MÉRITE BIEN UNE ROBE COMME ÇA...

AVEC ÇA, J'AURAI AUTANT DE CHANCE QU'ELLE...?

C'EST MAGNIFIQUE !

BIIP

AU VOLEUUUR ! AU VO-LEUUUUR ! URGENCE DE TYPE A DANS LA CHAMBRE 304 !

DZZiiiii

DZZiiiii

?!

C'EST DANGE-REUX DE COURIR COMME ÇA LA NUIT !

EST-CE QUE TOUT VA BIEN ?

OOH ! IL MANQUAIT PLUS QUE ÇA ! J'AI TUÉ QUELQU'UN !

BO OO OM

POF

VRAM

HEIN ? IL EST VIVANT ?!

BONSOIR...

HA HA HA !

DZiiiiiiiiiiiiiii

AU VOLEUR ! LE VOILE DE LA ROBE A DISPARU !

Love Hina

ÉPILOGUE II
TOUT COMMENCE ICI...

AA AA AH !

AAH ! MAÌS...

POU SSS

J'AI COMPRIS... MONTE !

HUM...

OH LÀ LÀ LÀ LÀ LÀ ! JE VOULAIS PAS !

AAAH !

GLOUPS

VLAM

MAÌS... T'ES QUI TOI, D'ABORD ?!

173

ENSUITE JE ME FAIS EMBARQUER PAR UN DRÔLE DE TYPE... QUELLE VIE !

BOUHOUUUU... D'ABORD ON ME PREND POUR UNE VOLEUSE...

SNIIIF

VROOOOO

WUUUUU

AH OUI.. LE MARIAGE, LE VOL, LE KIDNAPPING...

BEN... OÙ JE SUIS ?

MMH...

WUUUUU

KREPIT KREPIT

KREPIT KREPIT

OOH ? JE T'AI RÉVEILLÉE ?

TADAAAM

AAAH ! IL VEUT M'ENTER-RER !

MH... ?

CREUZ CREUZ CREUZ

UNE MAGNIFIQUE POTERIE !

HAHAHA !

EUH...

REGARDE C'QUE J'AI TROUVÉ !

C'EST QUOI CE TYPE ?!

EXCUSE-MOI, MAIS LE TERRAIN AVAIT L'AIR INTÉRESSANT, ALORS...

J'AI FOUILLÉ UN PEU...

CHAARM

J'AI L'IMPRESSION QUE TU T'ES ENFUIE, NON ?

POURQUOI ?

KREPIT KREPIT

ELLES... ELLES SONT TOUTES TRÈS BELLES ET... Y A UNE CÉRÉMONIE DE MARIAGE ET... J'AI... J'AI ESSAYÉ LE VOILE JUSTE POUR VOIR, ET...

AAH ! C'EST VRAI... EN FAIT... EUH... JE... JE VOULAIS HABITER LÀ-BAS, ET...

QUOI QUE JE FASSE, JE GAFFE, ET ÇA TOURNE MAL. JE FAIS QUE CRÉER DES PROBLÈMES AUX AUTRES...

PFFF... IL M'ARRIVE TOUJOURS CE GENRE DE TRUCS...

J'AVAIS PAS DE MAUVAISES INTENTIONS, MAIS... JE TROUVAIS QUE LA MARIÉE AVAIT BEAUCOUP DE CHANCE, ET...

AAAH ! QU'EST-CE QUE JE RACONTE ? IL FAUT QUE JE ME CALME POUR EXPLIQUER !

JE PENSAIS QU'IL ALLAIT ME DONNER DES CONSEILS, ET IL SE REMET À CREUSER ?!

QU'EST-CE QUE C'EST QUE CE TYPE... ?!

HEIN ? AAH... PARDON ! JE VOULAIS CREUSER JUSQU'À LA STRATE SUIVANTE...

CREUUZ CREUUZ

VOUS POURRIEZ M'ÉCOUTER QUAND MÊME !

HEIN ?

BON, VOILÀ. ON Y VA ?

POF POF

QUOIIII ?!

BEN... ON VA RAPPORTER SON VOILE À LA FIANCÉE !

HAHA HAHA ! MAIS NON !

VROOOOO

ÇA Y EST ! JE COURS ENCORE AU-DEVANT DES PROBLÈMES !

MAIS NON ! MAIS NON ! JE VAIS Y ALLER AVEC TOI !

MAIS ILS PENSENT TOUS QUE JE SUIS UNE VOLEUSE ! ILS VONT APPELER LA POLICE !

MAIS C'EST VRAI QUE, DERNIÈREMENT, KEITARÔ A BIEN CHANGÉ.

OUI, C'EST SURPRENANT...

HAITANI...

SHIRAI...

SI J'AVAIS PU IMAGINER QUE CES DEUX-LÀ SE MARIERAIENT UN JOUR...

RÉCEPTION

NON... PAS DU TOUT...

VOUS ÊTES LIBRE APRÈS LA CÉRÉMONIE ?

EROT

KIN

HEIN ? WAO UUH !

C'EST BIEN ICI POUR LE MARIAGE ?

BEUH... DÉSOLÉ...

KBOOM

OH !

HA HA HA

ET JE SUIS MARIÉE !

CHANGERONT JAMAIS, EUX...

C'EST VRAI ! ELLE A UN PETIT CÔTÉ EXOTIQUE...

ELLE AUSSI, ELLE EST MIGNONNE !

SHINOBU...

RÉCEPTION

PAS MAAAL...

SALUT LES FILLES ! VOUS AVEZ L'AIR EN FORME !

HA HA HA

OH ! SETA !

HARU-KAA ! SETAA !

SETA !

HÉÉ ! C'EST UN MÉCA-SARAH, P'PA ! OUVRE UN PEU LES YEUX !

KE KE KE

DÉ-TENDS-TOI !

OUI, ELLE EST EN TRAIN DE JOUER....

HAHAHA, C'EST ENCORE UNE GAMINE...

MH... ? SARAH EST LÀ ?

TA CIGARETTE EST À L'EN-VERS...

HAHAHA ! NON, JE SUIS PAS DOUÉ POUR ÇA...

ON VOUS FAIT CONFIANCE POUR NOUS TROUVER QUELQU'UN DE BIEN AUSSI...

OH, SENPAÏ... OÙ TU ES UN JOUR AUSSI IMPORTANT ?

SHINOBU...

EN PLUS, LA NUIT DERNIÈRE, ON NOUS A VOLÉ LE VOILE DE LA ROBE...

OUI, C'EST EMBÊTANT... LA CÉRÉ-MONIE NE VA PAS TARDER À COMMEN-CER...

AU FAIT, L'AUT'CRÉTIN DE FIANCÉ EST PAS ENCORE LÀ ?! QU'EST-CE QUI SE PASSE ENCORE ?

KEI-TA-RÔ

J'AI CONFIANCE EN LUI... IL VIENDRA

CALME-TOI ! ÇA VA ALLER...

OOOOH...

NARU !

BLAH BLAH

YEAH !

HAHAHA

MMH... ?

HEIN ?! N'IMPORTE QUOIIIII !

EST-CE QUE ÇA SERAIT MIEUX AVEC ÇA SUR LA TÊTE ?

MMH...

Y'A TROP DE MONDE ! JE PEUX PAS !

Z'ÊTES QUOI ?! DES FAN- TÔMES ?!

KYAAH ! Y'A DES DRÔLES D'ALIENS, ET ILS ONT LE VOILE !

AA AH !

FUUU

DES INTRUS !

GAAAH

BOGOOM

ZAAAAA

OOH !

EXCUSEZ-MOI... EN FAIT...JE...

JE... JE SUIS DÉSO-LÉE !

LA VIE EST VRAIMENT TROP INJUSTE

OOOH... C'EST FINI. JE SUIS CUITE...

HEIN ?

T'ARRIVES À ÊTRE EN RETARD UN JOUR COMME ÇA ?

TU TE SOUVIENS QUAND MÊME QUE C'EST TOI LE FIANCÉ ?

C'EST DONC ELLE, NARU NARUSEGAWA...

OOH... C'EST LA MARIÉE...

ELLE EST BEEELLE !

EXCUSE-MOI, NARU....

AAAAH ! CE CREUSEUR DE TROUS, C'EST KEITARÔ URASHIMA ?!

HAHAHA ! PARDON, J'AVAIS OUBLIÉ DE TE LE DIRE...

OH ! MAIS ALORS, LE FIANCÊ, C'EST... ?!

FLOOP

TU ES VENUE ME LE RENDRE, HEIN ?

MERCI POUR MON VOILE !

JE TE REMERCIE BEAUCOUP...

♥

ET, EN PLUS, TU M'AS RAMENÉ MON FIANCÉ !

YEAAAAAH !

ON VA POUVOIR COMMENCER LA CÉRÉMONIE !

MAINTENANT QUE VOUS ÊTES LÀ TOUS LES DEUX...

OH...

DIIIIIIIING

DOOON

T'ES TRÈS BIEN, KEÏTARÔ !

OUAIP !

...

COMME ILS SONT BEAUX !

OH... COMME ELLE... ?

AAAH ! ATTEN-DEZ ! JE SUIS PAS PRÊTE ! LE LAN-CEZ PAS ENCORE !

ON DIT QUE LA FILLE QUI ATTRAPE LE BOUQUET SERA LA PROCHAINE À SE MARIER COMME ELLE... !

DIS DONC, EMA ! TU CROIS QU'ON VA SE LAISSER FAIRE PAR UNE DEMI-PORTION DANS TON GENRE... ♡

MOI AUSSI, JE LE VEUX !

NARU ! MOI-MOI-MOI !

HÉÉ ! TU JOUES À QUOI LE MODÈLE RÉDUIT ?!

JE LE VEUX !

FLOOF

TON RÊVE EST À PORTÉE DE MAIN..,

ATTRAPE-LE !

...

J'TE FILE 100 SACS SI TU M'LE LAISSES !

AAAAH ! C'EST EMA QUI L'A EU ?!

GYAAAH ♡

S'IL TE PLAÎT, EMA, DONNE-LE-MOI !

OUI...

À MON AVIS, ELLES VONT BIEN S'EN-TENDRE...

FAITES UN BEAU VOYAGE ! ET ON COMPTE SUR VOUS POUR NOUS TÉLÉPHONER, HEIN ?

BON...

YE AA AH !

AAH !

AÏE...

ZOPF

À TOI L'HON- NEUR...

NARU, NOTRE PREMIER PAS VERS L'AVENIR...

OHO OO...

OUI...

♥

OO OH ?!

CO... COM- MENT T'AS...

P... PAR- DOOO OON...

GRRRR

GR RR

RE- CULE ! VITE !

AA AH ?!

SCRATCH

LOVE HINA - FIN

ÉQUIPE TECHNIQUE

ÉDITEURS

KC EDITOR

POSTFACE

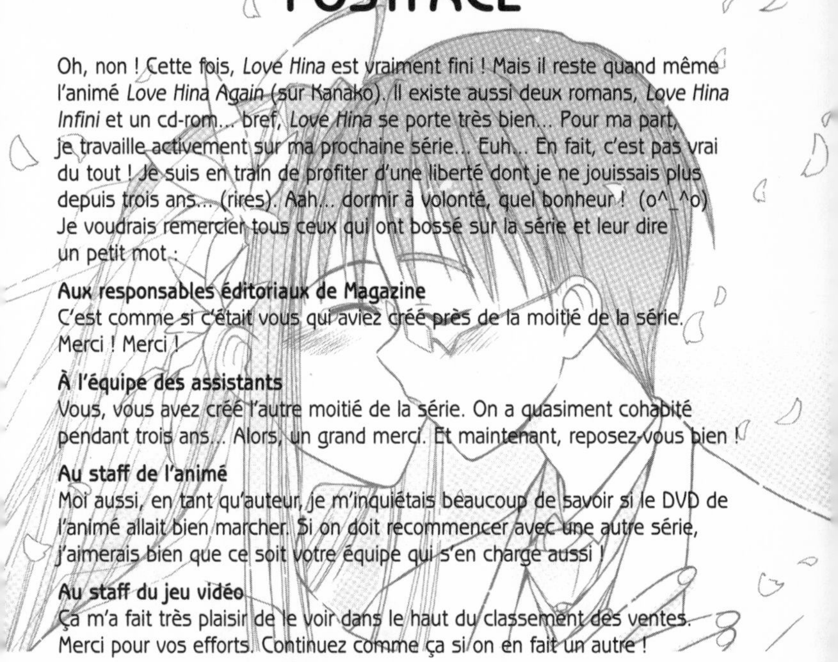

Oh, non ! Cette fois, *Love Hina* est vraiment fini ! Mais il reste quand même l'animé *Love Hina Again* (sur Kanako). Il existe aussi deux romans, *Love Hina Infini* et un cd-rom... bref, *Love Hina* se porte très bien... Pour ma part, je travaille activement sur ma prochaine série... Euh... En fait, c'est pas vrai du tout ! Je suis en train de profiter d'une liberté dont je ne jouissais plus depuis trois ans... (rires). Aah... dormir à volonté, quel bonheur ! (o^_^o)
Je voudrais remercier tous ceux qui ont bossé sur la série et leur dire un petit mot :

Aux responsables éditoriaux de Magazine
C'est comme si c'était vous qui aviez créé près de la moitié de la série.
Merci ! Merci !

À l'équipe des assistants
Vous, vous avez créé l'autre moitié de la série. On a quasiment cohabité pendant trois ans... Alors, un grand merci. Et maintenant, reposez-vous bien !

Au staff de l'animé
Moi aussi, en tant qu'auteur, je m'inquiétais beaucoup de savoir si le DVD de l'animé allait bien marcher. Si on doit recommencer avec une autre série, j'aimerais bien que ce soit votre équipe qui s'en charge aussi !

Au staff du jeu vidéo
Ça m'a fait très plaisir de le voir dans le haut du classement des ventes. Merci pour vos efforts. Continuez comme ça si on en fait un autre !

Aux responsables des produits dérivés.
Excusez-moi de ne pas avoir pu me montrer lors des lancements, mais j'étais vraiment en plein boulot... Désolé ! Il y a plein de goods au design génial et, en tant qu'auteur, j'en suis vraiment ravi. Merci à vous !

Aux lecteurs et aux internautes
Merci pour votre soutien inconditionnel. Je crois que tous les occupants de la pension sont d'accord avec moi. Je remercie aussi tous les lecteurs étrangers pour les mails que j'ai reçus, et je m'excuse de ne pas avoir toujours pu répondre... (;>_<;)

Pour finir, j'aimerais remercier les mangaka Keitarô Arima, Mitsune Ayasaka et Noriyasu Seta qui ont prêté leur nom aux personnages...
Merci à chacun de vous ! J'exprime aussi ma profonde gratitude à tous ceux qui m'ont soutenu durant cette publication. Merci-merci-merci ! Et courage à vous tous pour la prochaine série (s'il y en a une...)

À bientôt !
Ken Akamatsu

赤松 健
2002/1/17

Titre original :
LOVE HINA, VOL. 14
© 2002 Ken Akamatsu
All Rights Reserved
First published in Japan in 2002
by Kodansha Ltd., Tokyo
French publication rights
arranged through Kodansha Ltd.

French translation rights : Pika Édition

Traduction et adaptation : Anne Mallevay
Lettrage : docteur No

© 2004 Pika Édition
ISBN : 2-84599-324-2
Dépôt légal : avril 2004
Achevé d'imprimer en Allemagne
par Clausen & Bosse en juillet 2004
Diffusion : Hachette Livre

TENCHI MUYO !

Hitoshi Okuda

Après avoir affronté un démon, Tenchi, un des derniers héritiers de la famille royale de Juraï, se retrouve sur terre, accompagné par une princesse nomée Aeka et quelques autres personnes de son peuple. Il décide de rester, pensant que ses ennemis ne retrouveront jamais sa trace. Hélas, un homme étrange, aux pouvoirs stupéfiants va enlever la princesse Aéka : il veut connaître la technique qui a permis à Tenchi de vaincre, dans le passé, un criminel nommé Kagato...

SÉRIE COMPLÈTE

Les quatres premiers volumes de cette série qui en compte douze sont inspirés de l'OAV bien connue des amateurs de japanim'. On retrouve avec plaisir les personnages de cette saga mélangeant humour et science-fiction. Une série pour un large public.

www.pika.fr

CYBORG kurochan

Naoki Yokouchi

Kurochan est un chat peu ordinaire... Il est amoureux d'une chienne et sert de chat de garde à un vieux couple retraité. Sa vie paisible est bientôt perturbée par l'arrivée d'un savant fou, Gôkun, qui le transforme en Cyborg, pour s'en servir d'arme ultime afin de conquérir le monde. Mais Kurochan échappe à son créateur et retrouve ses maîtres auxquels il prend soin de ne pas révéler son identité.

Kurochan est certainement le mix le plus abouti entre manga et cartoon... Les histoires délirantes et pleines d'humour sont parsemées de références qui feront la joie des amateurs de BD, tous genres confondus.

www.pika.fr

bleu indigo

ai yori aoshi

Kou Fumizuki

Kaoru Hanabashi a quitté
sa province natale et sa riche
famille pour mener une vie
d'étudiant désargenté à Tokyo.
Son existence va être bouleversée
par l'arrivée d'une jeune et jolie
fille, Aoi Sakuraba, qui lui avoue
n'avoir jamais cessé de penser à
lui depuis 18 ans lorsqu'ils
furent fiancés par leur famille
respective. Kaoru est déconcerté
par cette déclaration d'amour
d'autant que certaines
raisons l'empêchent de
lui donner suite…

**Drôle et pleine de charme Ai Yori Aoshi est un hit au Japon
où la série a eu droit à deux adaptations télé.**

ATTENTION, SENS INTERDIT !

Ceci est la dernière page du quatorzième,
et dernier, épisode de Love Hina.
Pour lire le début de ce volume,
il faut retourner le livre.

Une petite explication vous donnera
le mode d'emploi du sens de lecture,
fidèle à l'original, de droite à gauche,
selon le souhait de son auteur,
Ken Akamatsu.